女の見た戦場

坂田喜代

あるむ

岩佐喜代子著『女の見た戦場』初版表紙

昭和17年(1942)宏英社刊

出発前に父兄とともに覚王山松楓閣にて

前列左より著者、永田雅楽子、中山三千子、長谷部広子、服部清子、早川文子、浦川雪子、中列左より長谷部父兄、鈴木一団長、後列左より服部父兄、中山父兄、浦川父兄、早川父兄、著者父兄、永田父兄

兵隊さんに取りかこまれて慣れないサインをする

南京気象台屋上にて戦跡の説明を聞く

応山での記念写真　郷土へ伝える元気な姿

中列左より早川文子、浦川雪子、服部清子、中山三千子、
著者、永田雅楽子、長谷部広子

応山の露天演芸会場　見渡すかぎりの兵隊さん

広水日本語学校の可愛い子供たち　カメラに向かってにっこり

帰国後名古屋新聞（現在の中日新聞）にて北支班の人たちと

前列左より浦川雪子、著者、長谷部広子、ひとりおいて早川文子、服部清子、鈴木一団長、後列左より写真班天野正英、ひとりおいて永田雅楽子、右より報道班道広芳松、ふたりおいて中山三千子

女の見た戰場

岩佐喜代子著

東京

宏英社刊

少如訪佐
龍室如壽

進彰

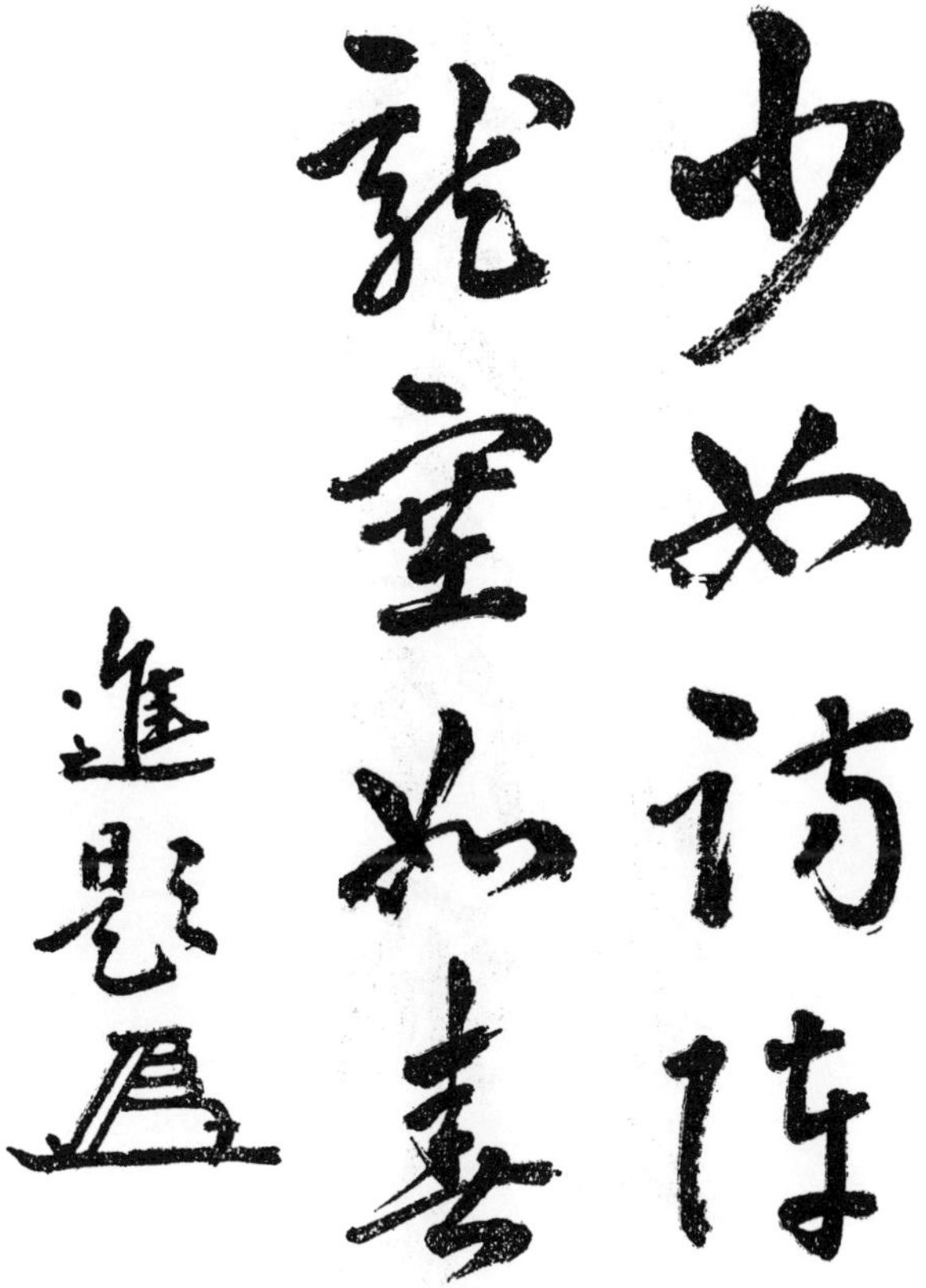

天高而任飛鳥

為岩佐氏　明人書

序　文

私は出征中たびたび慰問団の訪問を受け、そのたびごとに銃後の熱誠な支援に感謝したが、漢口《かんこう》攻略戦の済んだ翌年の夏、名古屋女子青年団の一行がはるばる数百里の波濤を乗り越えて大別山《だいべつざん》の西麓、応山《おうざん》の我が部隊に来訪せられた時ほど感激を深くしたことはなかった。有難いというよりも、うら若い女性の身をもってこの辺境の地にこの中支の炎熱を物ともせずにやって来られたことを、すこぶる無謀とさえ感じその熱意に感謝したのであった。

一行来訪のことが報ぜられるや、将兵の話はこれで持ち切りで、どこへ行ってもその噂ばかりであった。

慰問を受けるのでなく、長途の御苦労、可憐なる純情慰問に対しいかに酬いるべきか、いかにして郷土の若き人々を接待すべきかが問題となっていた。兵隊たちは加給された缶詰や、慰問袋のお菓子を大切に保存して来着の日を一日千秋と待った。

一行が〔名古屋新聞〕の鈴木一《はじめ》氏並びに名古屋女子青年団副団長の長谷部広子女史たちに引率せられ、お揃いの瀟洒たる服装で胸に日の丸のマークをつけて、応山県政府内にあった我が部隊に堂々入って来られた時には将兵一同は思わず万歳を唱えた。

私の部隊には前後数日間宿泊せられ、ここを根拠として毎日付近の各部隊へ慰問に出かけられた。当時私の一番心配したのは皆さんが風土の変わったこの土地で病気にかからねばよいがと思ったことで、そしてよくも親御が可愛い年頃の娘たちをこの遠い第一線、恐らく戦前には日本人の唯一人も来たことのない大別山麓へまで寄越《よこ》されたものだと泌々《しみじみ》考え、銃後国民の堅き決意、燃ゆる同情に深く深く感謝した。

しかし一行はすこぶる元気で部隊の慰問から帰って来ると、学校から我家に帰った子供の様に私の部屋の前で「ただいま」と大きな声を張り上げる。

部隊の当番兵たちは一生懸命女子供の好きそうな御馳走を、今日はこれ、明日はあれと作って一行の帰るのを待っている。私の部屋の隣の食堂ではそれを食べながら高い笑い声が聞こえる。誠に美しい和やかな情景で、戦場とも思えないほどである。

浦川嬢の剣舞も勇壮だった。中山、服部、早川、永田諸嬢の踊りも美しかった。服部嬢の歌謡曲、各氏の独唱もよかった。しかしボンボリを灯して、一行を中心に将兵が円陣を作り、小学校ないし中学校時代の古い歌を次から次へと一緒に歌ったあの「家郷の夕べ」の会くらい楽しかったことはない。将兵一同、身戦場に在るを忘れ、しばし童心に立ち返って心から歌った。中には泣きながら歌っている兵士もいた。

いよいよ一行出発の日、心からなる兵士たちの御馳走で別れの会食《パーティ》が催されたが、最後に一行は立ち上がって懐かしい小学校時代の卒業式の歌「仰げば尊し」を歌いはじめた。第一節まではまずよかったが、第二節となって、

互いに睦みし日頃の恩　別るる後にもやよ忘るな

身を立て名をあげやよ励めよ　今こそ別れめ　いざさらば

というところになると、歌っていられる人たちの声も震えて途切れ途切れとなり、眼には一杯涙が浮かんでいた。一緒に歌っている我々も目頭を熱くした。

その後一年有余私は生死を共にした部下を戦場に残して台湾軍に転任することになった。上海まで見送ってきてくれた部隊の梶原中尉が出帆の間際に餞別をくれた。何かと思って開けてみると「仰げば尊し」のレコードであった。中尉は付け加えて「部隊長殿、戦場では永らく御世話様になりました。私共は、この歌をあの女子青年団の一行が歌って励ましてくれた、あの時の感激でしっかり戦争をやります。御安心下さい」と言った。私は途中の船の中でも、また現在に至るも、このレコードをかけては当時のことを追想して感慨無量である。

このたび一行の年長者で、皆から「お姉さん、お姉さん」と呼ばれていた岩佐嬢が、慰問行の手記を刊行せられると聞き、当時の思い出を有りのまま書きつらねて序文に代える。

〔第三師団第五旅団〕旅団長　上村幹男

序文

女性の書いた戦争の手記は相当出版されており、私もその幾つかを読んでいるが、『女の見た戦場』は感激して読んだものの一つである。

著者岩佐喜代子さんは、まだ若い良家のお嬢さんであるが、時局に発奮し、身を挺して、大陸の戦場に、陣中に、皇軍将兵を懇《ねんご》ろに慰問され、そして実情を詳《つぶ》さに視察された。その記録が即ち本書である。前線と銃後とがしっかり結びついて、すめらみいくさを戦い抜くすがたに、著者は泣きながら合掌している。しかし、筆を執れば極めて明朗であるのも嬉しいことである。

大東亜戦争が勃発してから、人々は南方に於ける赫々《かくかく》たる戦果にひかれて大陸の戦線を忘れがちである。このとき、本書が世に出るのは誠に意義深いことと思う。

私は敢えて序文を寄せて著者の清福を祈る。

昭和十七年四月二十九日　天長佳節

大本営陸軍報道部長　谷《や》萩《はぎ》大佐

序文

名古屋女子青年団は事変以来、銃後援助、勤労奉仕、献金、慰問等々さまざまな事業を続けておりますが、中でもかよわい娘たちが第一線に赴いて親しく敵前に身を曝《さら》し、将兵と共に起居してその労苦をねぎらい、銃後に伝えるということは、実に崇高、且つ有意義なことで、私も実は彼女たちの悲壮な出発を感謝して見送った一人であります。

岩佐喜代子さんは、当地にて古い家系を持つ家の一人娘で、しかも二か月余りの旅程を元気一杯で任務を無事遂行され、この厖大《ぼうだい》な手記をものして帰還されたことはおどろくべきことで、全く彼女の強い意志と熾烈《しれつ》な感激の念が凝《かたま》ってはじめて出来たのだと思います。読んでいくと誠に素朴な文章ではあるが、その飾りけのない一句一句は読むものの胸を打ち、その語るところは懦夫《だふ》をして起しぬるものがあります。

前線手記『女の見た戦場』出版の報に接し、これを喜ぶと共に著者を一言御紹介致します。

名古屋市長　縣《あがた》　忍

自序

「いつも元気で勇敢な兵隊さんではあるけれども、更に次の作戦の戦果が倍加されるほど士気を鼓舞し、心より喜んでもらえる慰問団（戦場にいる兵士などを慰めるために催し物をする団体）を派遣しよう」といいだされたのは、昭和十四年三月のことでした。

いろいろな案も出たそうですが、殺伐たる戦野で兵隊さんの一番飢えているのは肉親の愛情である、それを充たしてあげられたら……というのは誰もの願いでした。しかし、兵隊さんのお母様方一人ひとりに戦場へ行って頂くことは許されないことです。

「それでは、純真で、可憐な若い娘さんに行ってもらったら」と決まった時、軍の方たちも非常に喜ばれ「どんなにでもして絶対安全を保証するから、ぜひ行って頂きたい」と最大の後援ぶりでした。

けれども、漢口《かんこう》（湖北省東部の都市。武昌、漢陽とあわせ武漢三鎮と称した水陸交通の要衝。現在の武漢市）陥落より半年にもならず、襄東作戦の硝煙未だ消えやらぬ最前線へ、果して一般家庭の子女を親たちが出してくれるだろうか、ということはこの慰問団を計画された〔名古屋新聞（現在の中日新聞）、名古屋女子青年団幹部の〕方々の一番心配されたことだったそうです。

それが一度この慰問行の発表されるや、名古屋女子青年団員四万五千名中から、思いがけぬほどの志望者があらわれ、男子のそれをも凌《しの》ぐ銃後（直接戦闘に加わらない一般市民）女性の祖国愛に燃えるさかんな意気をしめし、そんな心配が全く杞憂《きゆう》に過ぎなかったことをどんなにか心強く嬉しく思ったことでしょう、と後からうかがいました。

それから家庭の情況とか、体格検査等を厳格にして、残されたもの二百名中から、もう一度人物考査をする等、非常な慎重さでした。そうして最後の十二名が、六名ずつに分かれて中北支（中国中部と中国東北部。中国東北部は当時満州と呼ばれた）へ行くことになったのでした。

そして幸いに私も中支班の一人に加えられることになったのでした。

私たちの慰問団というのは、団長・鈴木　一《はじめ》、副団長・長谷部広子《ひろこ》、団員・早川文子《ふみこ》（二十一歳）・服部清子（二十一歳）・浦川雪子（二十一歳）・中山三千子《みちこ》（十八歳）・永田雅楽子《うたこ》（二十歳）・岩佐喜代子（二十二歳）、報導班・道広芳松、写真班・天野正英の一行十名で組織され、その当時における第一線の上海《シャンハイ》―南京《ナンキン》―漢口《かんこう》―応山《おうざん》―浙河《せっか》―随県《ずいけん》―馬鞍山《ばあんざん》―馬坪《ばひょう》―広水《こうすい》―蕪湖《ぶこ》―太平《たいへい》―蘇州《そしゅう》―杭州《こうしゅう》―嘉興《かこう》等を廻ったのでした。

この手記は従軍六十日間、暗いローソクの下で、ノートにボタボタ垂れる臘《ろう》に悩まされ、折れた鉛筆をしめしながら、みんなが寝静まると書き綴ったものです。

その頃は、このように出版して皆さんに読んで頂こうなどとは夢にも思いませんでした。もちろん文才も無く稚拙なものですが、私たちの戦線を廻った時の真心は一貫してつらぬき通してあるつもりです。粗い文章をお読み下さる方たちには大変御迷惑とは存じますが、この一文が、戦場の真の姿の一部でも内地の方たちにお伝えすることに役立ち、戦線慰問のお仕事が内地の女性の大きな仕事として、更に烈しく、盛んになるための、なんらかのお力ともなれば著者としてこれに過ぐる光栄はありません。

なお本書の上梓《じょうし》（出版）に当っては藤田進閣下、中村明人閣下、上村部隊長殿、〔紙も入手困難ななかを充分支給してくださった〕谷萩大佐殿、馬淵大佐殿、並びに縣《あがた》名古屋市長殿〔、名古屋新聞の方たち、この本の出版にあたり、最初の出版物として世に出してくださった師岡《もろおか》宏次・英次ご兄弟〕には非常にお世話になりました。紙上より厚く御礼申し上げます。

目次

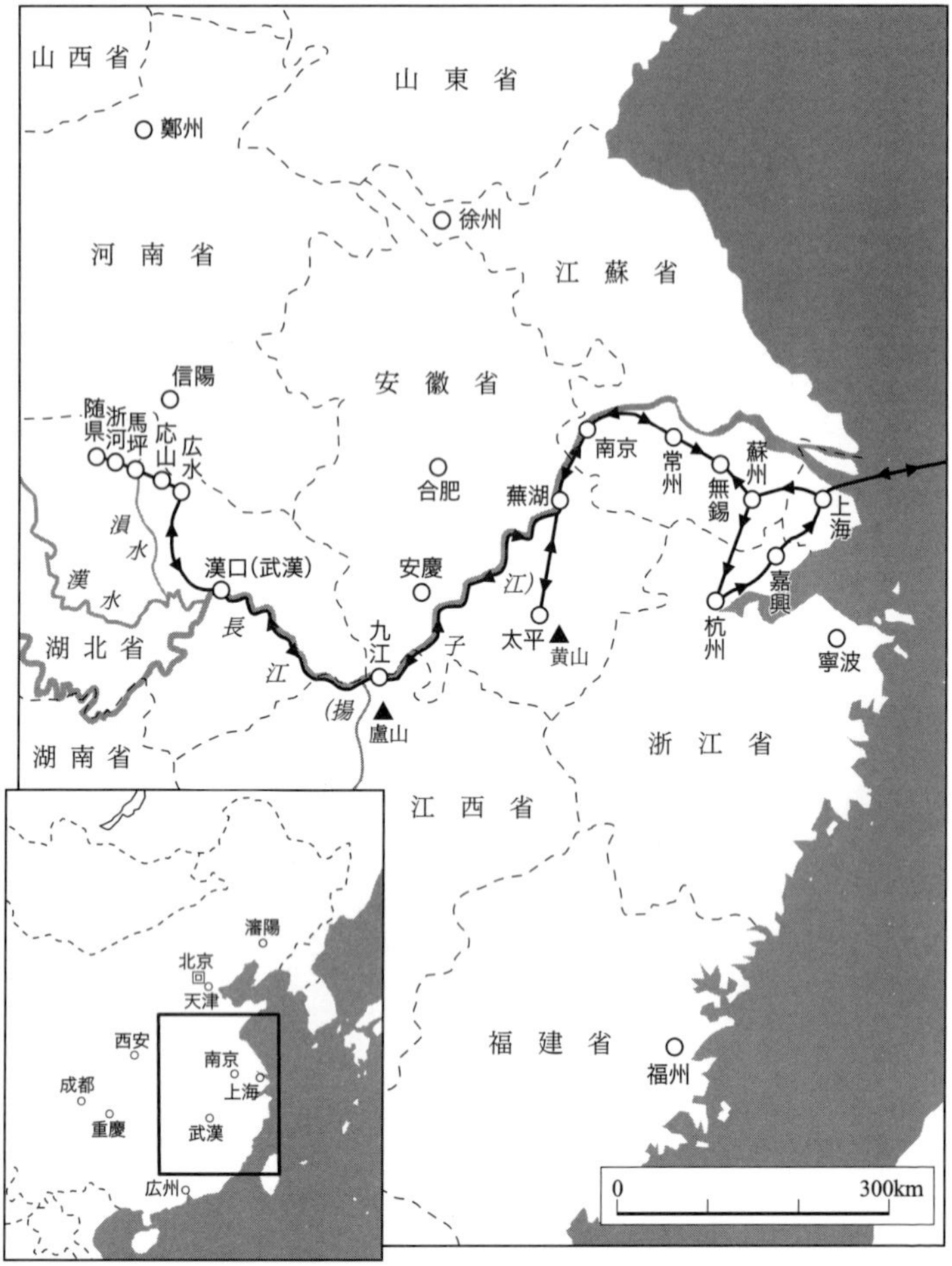

名古屋女子青年団代表慰問団 中支班 行程図

実際に見なければ、どうして解るものか。
多くの兵隊さんたちが、親も、子も、妻も、兄弟も、恋人も、あらゆる私を振り捨てて発っていった戦場が……。

黒髪を切る

今度のこの慰問行に参加しないか、と言って下さった時、いつも女に生まれたのを残念がっていた私も、今度ばかりは女でなければ受けられないこの幸運を、しみじみ神様に感謝する気持ちになりました。

ああ支那事変（日中戦争に対する当時の日本側の呼称）にはじまってこの数か年の間、私はどんなに激しい感情をもやして、どれほどの兵隊さんを〔前線へ〕見送ったことでしょうか。

郷土の〔第三師団〕のあの堂々たる勇ましい出征（軍隊の一員として戦地に行くこと）、〔本町〕通りを後から後からと続いてつきぬ兵隊さんの列、その中には、ああ、あの人もいる、この人もいる、幼い頃に小学校で机を並べていた男の人たちの多くは、この〔倉永〕部隊の、この勇ましい行進の列のなかにいたのです。あなたたちは、もう再びこの町のこのアスファルトの路《みち》を歩くことはないかも知れない。私たちが幼い頃から眺めてくらした、あのお城の天守閣も、もう見られないかも知れないのです。

どうか元気で武勲をたてて再びこのような勇ましい行進で帰って来て下さい。

しかし、この行進する人たちはそんな小さな私情を遥かに踏み越えて、みんな一様に、落ちついた厳しい表情に一貫した顔、顔、顔。私は街角でぞくぞくするような身ぶるいを感じながら、感激の涙をいっぱいためて、私たちの郷土で編成された郷土部隊の出征を見送りました。

その郷土部隊の征《い》った後は、〔名古屋〕駅を通過する沢山《たくさん》の軍用列車に満載された兵隊さんの歓送と接待に、あるだけの時間を捧げました。雪の日も、風の日も、兵隊さんは征《ゆ》きました。

私たちはこの時代の女性として、せめて、そうした歓送をさせて頂くより他に道がなく、女というものは何としようのないものだろうと考えました。しかし、今はそうではないのです。あらゆる憂鬱《ゆううつ》を吹き飛ばしてしまいました。

愛する祖国のために征った兵隊さん、私も後から参ることになりました。戦線に行く意義を深めるために、未だ戦火も消えやらぬ、治安も整わないといわれる中支班に入れて頂くことにしました。

出発と思うと、やっぱり戦地へ行くのだから、最悪の場合のことも考えると、手近なところをいくら整理してもつきません。そして出発までの毎日はいろいろな感情が入りまじりこみあげて来て落ちつけず困ってしまいました。

兵隊さんは「生還を期せず」と心に誓って出征されるのだから、こんな生易《なまやさ》しいことでは申しわけないのですが、やっぱり私は女だからでしょうか。

荷物は出来るだけ少なくと思い、何もかも入れるのをやめたつもりのリュックサックと大型のトランクも、たちまち一杯になってしまい、これでは堪《たま》らないともう一度入れ直してみても、何も余分なものはありません。こんなことを三、四度。これでやっと良いと思っていると、今度の慰問行を知って出征している兵隊さんのご家族が「これをぜひ戦地の息子に」といらっしゃる。どうしたら荷物がまとまるのか、終《しま》いにはリュックサックの紐を結ぶのも億劫《おっくう》になってしまいました。

慰問団参加当時の著者

戦場に華やかな和服はどうかと思っていましたら、司令部の方たちが和服をぜひ持って行くようにとおっしゃいました。銃後の香りを前線に伝えたいし、日本の着物の美しさを支那の人たちにも見せてあげたいし、自分もいくら大丈夫と思いながらも最前線まで行くのだから万一の場合も考えて、そんな時に見苦しい姿で死ぬのは嫌だとも思い、母に相談しましたら「自分で好きなのをどれでもかまわないから持っておいで」といって下さったので、一番好きな秋草模様のお振袖と、もう一枚をトランクにつめました。

私はごく古い形式の家庭に育った平凡な娘にすぎません。母からも祖母からも、黒い長い髪の毛は女の生命《いのち》のように教えられて育ってきました。私の髪は誰にも自慢出来るほどで、立ってちょうど膝の辺りにまで及びました。これは小学校の頃からの母や祖母の愛撫の賜《たまもの》なのです。ですけれど、不自由な前線生活を数か月おくることになると、これは大変に都合の悪いものです。こんな髪の洗髪などはおそらく及びもつかぬことでしょう。よごれた髪。それは考えても身震いが出そうです。戦線に行くのならば、どうしても近代的に髪を切りつめて、もっと活動的にならなくてはなりません。

黒髪を切る。いつこんなことを私は想像したでしょうか。それは母や祖母の肉体の一部のようでさえあるこの髪を……。

母が神棚に灯明《とうみょう》を上げてくれました。母が切ってあげるといったのですが、私は目の前の畳の上に新しい紙を敷き、自分の手で鋏《はさみ》を入れました。髪はぎすぎすと鋏をすべります。何の直接の感覚もないのですが、それがまるで自分の体を鋸《のこぎり》で挽《ひ》かれているような無気味さです。頭を急に冷たい風が吹き通りました。

　このままではどうしようもないものですから、美容院で出来るかぎりおとなしい電髪《パーマネント》にしてもらいましたが、電気をかける前に更に梳《くし》けずられて、あの髪の毛がたった一握りになってしまった時、これが自分のものなのか、と放心したような気持ちでした。

　髪がととのえられて、鏡にある自分はすっかり顔違いがしていました。しかし、これは自分を遠い戦線へ旅立たせる自分への鞭撻《べんたつ》となって大きな力を与えてくれました。

　私は新しく生まれ変わったのです。

　そして古い私は、母が桐の箱の中におさめてくれた切り落とした黒髪のうちにあり、お正月が来れば桃《もも》割《わ》れや島田髷《しまだまげ》（日本髪の結い方。桃割れは十六、七歳くらいの少女が、島田髷は主に未婚の女性が結う）に結った思い出は、私のかたみとして家に残ることになりました。

六月二十一日

　ああでもない、こうでもない、と言っているうちに、とうとう今日の日が来てしまいました。ちょうど旧暦の端午のお節句（熱田神宮では当時毎年六月二十一日に尚武祭が行なわれた）に出発できるのも、何だか今度のこの重い任務を無事に終えることが出来るような気がします。

　神棚にお詣《まい》りして、家中そろってお赤飯を祝い、午前七時家を出ました。自分の生まれたこの家をもう一度振り返り見直しました。

みんなそろって自動車で駅に着くと、車から降りたとたんに、わっと見送りの人々が押し寄せ身動きも出来ません。

私たちを中心にして、感激の渦は果てしなく拡がっていきます。

やっと通して頂いて構内に入ると、そこは全く恐ろしいような人の波です。これがみんな私たちを送って下さる人なのです。こんなにして皆さんに送って頂くことは自分たちの一生でこれが最初であり、そして最後のことでしょう。本当に自分たちの一生を通じての感激譜です。まるで兵隊さんのように、万歳万歳、有難《ありがと》うありがとうの洪水。

汽車の窓から顔を出して、

「元気で行って参ります」

「皆様の御熱誠は、この小さな私の体に代えても、きっと兵隊さんにお伝え致します」

誰に言うともなく、声を限りに夢中で叫びました。何か始終叫ばずにいられない気持ちですし、皆の顔が涙のためにぼーっとなってまがって見えてしまうのです。自分たちの使命の重さを今更ながら痛感し、いろいろの感情が一度にこみあげて胸が一杯でした。

花束で車窓を埋めた私たちの感激の列車は、こうして滑り出しました。

六月二十二日

眠れぬ旅の第一夜は〔神戸〕にあけて、今日も昨日からの感激に酔った心のどよめきが落ちつかず、一行の誰もが妙にそわそわしていました。

湊川神社（神戸市中央区にあり楠木正成をまつる）に参拝して、いよいよ〔太陽丸一万六千屯《トン》へ〕乗船です。〔神戸〕の女子青年団の一員から、血書《けっしょ》（強い決意を示すため自分の血で文字を書くこと）のハンカチーフを頂きました。私たちは感慨無量です。こんなにまでして励まして下さるのかと思うと、この旅の使命の重さがひしひしと身にせまって、どうして良いかわかりません。

十二時出帆。

だんだん遠ざかって行く人の波。心ゆくまで私たちは花束を振り、ハンカチーフを振ります。名古屋からここまで送って来て下さった〔名古屋新聞社編集部長〕渡辺さんのハンチング（前びさしのついた平たい帽子。鳥打帽子）姿も、皆の旗も、とうとう見えなくなってしまいました。

もう一度この港に帰って来られるかどうか考えました。Bデッキに出て、祖国日本の山河をだまっていつまでも見つめていました。

まだ暮れやらぬ瀬戸の夕景。逆光線の中に浮かび上がった島々の男性的な美しさ。幾千年変わることのないこの日本の山河。

全く暮れてしまったデッキからサロンに入って行くと、前線の部隊でも私たちの慰問団の編成されたことを聞き知ってか、石井という部隊から、ぜひこの部隊へ来るようにと細かい心遣いの手紙が来ていることを知りました。そんなにまでも、この貧しい一行を待っていて下さるのかと思うと、もったいない気がします。

なかなか眠れません。

どうしたら、この私たちの誠意を兵隊さんたちに受け取って頂けるのでしょう、そして本当に喜んで頂けるのでしょうか。

出発の時に、師団長閣下が、

「決して品位を落とさず、日本女性の最大能力をあげて、恥かしくない行動で終始慰問をしてやって下さい」

とおっしゃったお言葉が胸にこびりついています。

船の丸窓からはお月様が見えます。波がきらきらと美しく、銀砂《ぎんしゃ》を撒《ま》いたようです。そのまそっとすくい取って頬ずりをしたいような気がします。

三年前に小さな軍艦にぎっしりと少しの隙もなく乗って行った、と聞いている倉永部隊の人たち、厳重な武装、そして面会時間も急いで家族の人たちとゆっくり話をする暇もなく、「滅私《めっし》奉公《ほうこう》」（私欲・私情を捨て個人の利害を考えないこと）、ただこの一念で上海の戦場へ征った私たちの郷土部隊の人たちよ。私たちも同じ潮路《しおじ》を女ながらも同じ心に燃えて、今、あなたたちの血と涙と汗とで占領して下さった地へ参ります。

思わず瞑目《めいもく》して、手を合わせました。

六月二十三日
玄海灘《げんかいなだ》（福岡県北西方の海）を行く。

六月二十四日
ここが揚子江《ようすこう》（中国第一の大河。本来、揚子江は揚州付近の名称で正式には長江）の河口と聞き、本当にどこまでが海なのか、どこからが河なのか見極めがつきません。大きいとか、広いとか、そんな生易しい言葉では表現出来ない、ただ漠然《ばくぜん》として支那の中心に横たわる魔物といった感じです。

きれいな緑の地帯が視界に入ってきました。楊柳《ヨウリュウ》（やなぎ）だと教えられました。

〔ダンサー風の人が若い将校（戦闘の指揮をする士官。その階級は上より大佐・中佐・少佐・大尉・中尉・少尉）をつかまえて、いろいろこの辺りの戦跡《せんせき》をたずねています。大方は上海のダンスホールにでも働きに行く人なのでしょう。〕その女性の真っ青のネッカチーフが風に吹き飛ばされそうに靡《なび》いていました。今でもあの青い色が忘れられないのは、どうしたわけだか自分でも判りません。

すぐ傍《かたわ》らの人が「この辺りが呉淞鎮《ウースンチン》ですよ」と指さしてくれました。〔六連隊兵士の大半がここの岸壁で戦傷、戦死した〕激戦の跡ですから、もっともっと違っていると考えていた私に、この静かさは思いのほかでした。そしてこの静かさが何であるか見極めようとしましたが、自然に頭が下がり、目頭に熱いものが滲《し》み出ました。

この地点が私たちの兵隊さんの尊い生命を幾つも奪いとったのです。

船は黄浦江《こうほこう》（揚子江の支流）へ、そして濁った水はますますチョコレート色に濃度を深めていきます。

〔郵船〕埠頭《ふとう》に船は着きました。

黄浦江の水位計

上海で私たちと合流して行を共にする〔名古屋新聞〕写真班の天野さんが社旗を振っているのが見えます。こちらも負けずに日章旗《にっしょうき》（日本の国旗とされている日の丸の旗）を振ります。

各自、リュックサックを肩に颯爽《さっそう》と下船、タラップを下りました。

私たちは大陸の土に第一歩を印しました。

もっと感激があるはずです。しかし、地上に一歩足をつけた瞬間、自動車の警笛の洪水、苦力《クーリー》（荷役などを行なう下層労働者）がめまぐるしいまでにあちらこちらを歩きまわり、口々にどなり散らす何とも知れぬ叫び声、それに混じって人々を牽制《けんせい》する巡警《じゅんけい》の声、幾種類とも知れぬ人種の秩序のないこの乱雑さは、国際都市上海の半面を露出させて私たちを驚かせました。

兵站《へいたん》（前線の作戦軍のために、後方で軍需品の補給・修理・連絡などを行なう機関）の指令を頂いて、乍浦路《チャポロ》の山崎ホテルに宿舎が決まりました。

蒸し暑く、荷物を下ろすとしばらくは何も出来ないほど疲れていました。

雨降る墓標

六月二十五日

渡辺部隊本部へ御挨拶に向かう途中で、日曜なのに呉淞鎮《ウースンチン》からトラックで来る武装した兵隊さんに行き合いました。そのたびごとに「有難う」「御苦労さん」と投げつけるように叫びますと、はじめは急に声をかけられてぼんやりしていた兵隊さんたちも、行き過ぎた頃にやっと判って下さって、にこにこと手を振って行きました。

玉川少佐殿の御案内で、屋上から上海市街を説明して頂きました。

話に聞いていたヨーロッパの都会のような高層建築を持っている上海が、内地を離れてたった三日間で私たちの目の前にあるのです。市政府も今ではすっかり修繕されて、ニュース映画で見たような屋根の大穴も今は見られません。

朝からぐずぐずしていたお天気が雨になりました。

私たちはその雨の中を、〔六連隊の〕倉永連隊長殿のお墓へお参りさせて頂くことになりました。

この雨は、何か私たちの心を洗い清める雨のような気がします。じとじとと不備な雨着を通して、肩先からひんやりと濡れてゆきます。それにはかまわず体を雨に打たせながら、墓前に進みます。

土を盛りあげた上に立てられた、白木の墓標も今はものさびています。

これがかつて私たちの前を隊列を従えて、あんなに馬上勇ましく征かれた倉永連隊長殿のお墓なのです。その後、新聞を通して呉淞の戦闘の武勲の数々が伝えられ、どうぞ御無事でとお祈り申し上げていた〔かいもなく戦死された〕倉永連隊長殿のお墓なのです。

一同、雨の中をかまわず列を作って最敬礼をしました。いつまでもいつまでもこうして頭を下げていたい気持ちです。じっと頭を下げていると、何ともいい知れぬ尊い感じで、体がひしひしと引き締まるのをおぼえます。

すぐ横に並んで、矢住部隊長殿の墓標があります。そして、それから後に続いている沢山の勇士のお墓に、一つひとつ、私たちは感謝の黙祷《もくとう》を続けて行きます。体が雨でびっしょりになりました。もっと濡れてもよい。こうして雨にうたれてお墓に詣でることは、この人たちの苦心と武勲に対して、銃後で平和に暮らさせて頂いている国民として、いくらかでも心の感謝を表現できるような気持ちです。

雨はますます降ります。

私たちはただ一つひとつの墓標に額《ぬか》ずいて行きます。

雨はよいと思いました。

私たちはずぶ濡れになって呉淞鎮《ウースンチン》桟橋《さんばし》へ行きました。藤田部隊長殿が三日三晩弾雨の中を頑張られたところなのです。

「ちょうど、ここのところだった」と有名な鉄道倉庫の中に立って、その頃やはりここに〔従軍記者（戦地に行き戦況を報ずる記者）として〕居た団長がいいました。倉庫の真ん中の辺は今はがらんとして何もないのですけれども、かえって無気味に、ここにどれだけの人の血が滲《にじ》んでいるのかと思うと、どこを踏んでもまだ真っ赤な血がふき出すような気がします。トタン屋根にあけられた秋空の星のような無数に撃ち抜かれた穴からは、雨が遠慮なしに降り込みます。

やっと自動車に乗って、アカシヤの並木の美しい路《みち》に出ます。軍公路（軍用として頑丈に作られた交通路）です。広くもないこの路をはさんで、上陸部隊と敵とが対峙《たいじ》していたのかと思うと、この堤を間に幾度か死闘が繰り返され、その部隊に加わっていた幼友だちの茂夫さんも、欽ちゃんも、みんな

野戦病院にて（前列左より中山、著者、永田、長谷部、
後列左より早川、ひとりおいて浦川、服部）

みんなこの辺りで負傷したのかと思ったりしました。そうすると今度自分が前線まで行くことも、極めて何でもないことのように力がもり上がって来ました。

呉淞路を通り、クリーク（小運河）に沿って少し行ったところに、遠藤部隊があります。部隊長殿も郷里の人なので、わざわざ玄関まで出迎えて下さいました。ひと休みしていると窓から「喜代子さん」と声をかけられびっくりしました。ときどき傷病兵の御慰問に行っていた頃、〔名古屋〕陸軍病院にいた看護兵の田中さんです。

「いつ、こちらへいらっしゃったのです」と思わず聞きましたら、十二月にここへ来たとかで、〔名古屋の〕患者さんのことをいろいろたずねられました。大陸の土を踏んで初めて知っている人に出会ったので興奮してしまい、時間のあるだけお互いに喋《しゃべ》りました。日比野大尉殿にもお目にかかり、お宅からのお言づけを申し上げました。じき近所に住んでいらっしゃる片山中尉殿にも偶然お目にかかりました。

こうして知らないところへ来ると、ちょっとでも知っている人に会うことは、たまらなく懐かしい気がします。

「せっかく来てくれたのだから、兵隊たちに歌でも踊りでも良い、何か見せてやってくれ。こんな職場へ芸人さんならば来ることはあるけれど、皆さんたちのようなお嬢さんがこんなに大勢で訪ねて来てくれたことは、それだけでも兵隊たちはどんなに嬉しいか知れないのだ」

といわれます。今日はそんなつもりではなく、和服も持っていないし、この通りのずぶ濡れで、レコードもないことを申し上げたら、

「病院にあるだけのレコードを集めよう」とおっしゃって、部隊長殿と日比野大尉殿の二人で病院中駆け回ってお集めになって下さいました。

私たちは兵隊さんに演芸を御覧に入れるのが目的ではないのです。本当ならばお一人ずつに御挨拶を申し上げるべきなのですが、何千何百といらっしゃる兵隊さんに対してそれもならず、お一人でも多くの兵隊さんに喜んで頂くために、平和な時代に習い覚えた余技《よぎ》を役立たせているのです。

みんなで演芸場へ行きました。トタン屋根の下に、長い粗末な舞台です。

ここで私たちの慰問行の第一回の演芸会が、戦線の兵隊さんを前にして開催されました。生まれて初めてこんな大勢の人の前で踊るのです。胸がわくわくして、顔がぼうっと赤くなって、レコードも何も耳に入りません。

あり合わせのレコードで「御国の母」とか「愛国千人針」を踊りました。

幕が開くたびに、とても沢山の兵隊さんが、敵陣につき込む時のようにわあっと歓声を上げます。歓声の渦に巻き込まれて、ただ何となくみんながすっかりあがってしまいました。

兵隊さん、私たちの気持ちだけは解って下さい。

（いったん山崎ホテルへ寄りワンピースと着替えて、それから名古屋新聞上海支局長の宇崎先生に憧《あこが》れの河向こう（当時この地域はイギリス・フランス・ドイツ・ロシアがその行政・警察を管理し居留する共同租界となっていた）へ連れて行っていただきました。

まだ自由に通交を許されていないので、ガーデンブリッジの上でいちいち陸戦隊の人やら巡警の人が身体検査をして、この橋ひとつで、持つ都市と持たない都市とのけじめをはっきりつけてちょっと特異な雰囲気を醸《かも》しだしているところです。

ここを渡ると一度に見るもの聞くものすべてが違います。歩いている人たちもさまざま。真っ黒なインド巡査、おしゃれなフランス兵、キルトのスカートをはいたスコットランドとか聞いた兵隊が片隅《かたすみ》の木蔭で若いきれいなフランスの婦人と仲よく肩をすりあわさんばかりに、まるで恋人同士でもあるかのように話をしています。日本あたりでは、兵隊なんていったら恐ろしいもの、謹厳《きんげん》なものと小さい子供も知っていますが、こんな映画にでも出てきそうなほほえましい風景は見られないでしょう。今夜、踊りに行く約束でもしているのかしら。

南京路（上海一の繁華街）を行くと、夢の四馬路《スマロ》なんていうからもっと情緒的なところなのかと思っていましたが、自動車の中から指さされた通りはごちゃごちゃしているだけに見えました。競馬場から引き返し、新々公司のウィンドウを見るとちょっと飾りつけが違い、海水着とレース製品が一杯です。そのすぐ前の新雅飯店《シンガハンテン》で夕食を済ませたあと、雨の南京路を傘なしで散歩し、ドイツ人のチョコレートショップへ寄ったりしました。

ガーデンブリッジと
ブロードウェイマンション

ネオンはそんなにもついていないけれど、道幅の狭いところを三輌ぐらいつないだ電車やら二階のあるバスが通り、その間を縫って自動車がめまぐるしく、街は狭いのに重なりあうように大勢の支那人、外人が歩いています。そして私達を眺めていきます。

「ついこのあいだ、この四つ角でお婆さんが殺されましたよ」と宇崎先生がおっしゃるので、もっとゆっくりしていたくても何となく気味が悪く、でも日本人であると思うと堂々と歩くことができ、支那人などぶつかりそうになっても、こちらが強く出れば道を開けてくれます。商店の戸を閉めた入口に支那のルンペン（浮浪者）らしい人が、石畳の上に直にころがって寝ていたりして、こんな繁華街にも戦敗国の片鱗を見ることができました。」

六月二十六日

八時半出発の急行列車に乗れるというので、私たちは北停車場へ急ぎました。やっと南京へ向かうことができるのです。

上海北停車場へ行く間の惨憺《さんたん》たるさまは、とても私の貧しい筆で記すことが出来ないのは残念です。煉瓦《れんが》のめちゃめちゃになったのがところどころ焼け残った土の壁と共に、何か忘れられたように立っているだけで、まだ整理もされておらず、その崩れ落ちた煉瓦の下から夏草が青々と生えていました。

「この辺の市街戦は凄惨《せいさん》なものでしたよ」と〔その頃従軍記者として上海におられた〕写真班の天野さんは、私たちに話して下さいます。一物をもとどめ得ないというのはこんなことか、と思って見入りました。

北停車場はまだほんの粗末な仮の建物です。

支那人が毛布やら籠を手にして、ぼんやりと並んで汽車を待っています。

この時、私は奇妙な人を発見しました。

それは墨染《すみぞめ》の衣を身につけ、足には土のついたゲートル（厚地の木綿・麻などですねを包み保護する服装品）を巻いた坊さんの姿でした。内地の村から村へ托鉢《たくはつ》（修行僧が各家々で布施する米やお金を鉄鉢で受けてまわること）を続けて歩く坊さんとは異なり、その表情から、もっとつきつめた空気がこの坊さんの身辺にはただよっていました。

「私も戦跡をずっとめぐって弔《とむら》って来たのです。あなた方もお若いのに御苦労様」

と言って下さいました。何でも福岡県の人だとか言っておられました。この次の列車でもう一度南京へ行くのです、といわれて買物に前の通りの方へ歩いて行かれました。

衣のよごれ。ゲートルの土。前線をめぐって来て、疲れきっている様子がひどく労《いたわ》しく見えました。

燃え上がる駅

私たちは軍の御好意で軍用列車に便乗させていただきました。一般用は四等と隅の方に書いてある車輌らしく、その騒々《そうぞう》しさといったらありません。

車内の兵隊さんたちに私たちは慰問品（出征兵士などを慰めるために送る品）のささやかなものを分けて行きました。

どの兵隊さんもはずかしそうにしていらっしゃいました。でも終いには嬉しそうに受け取って下さいました。

一番隅の方にいる人に差し上げようとしたら、

「僕なんか頂いては済まんです。どうぞ前線の兵隊にやって下さい」

とおっしゃって、どうしても受け取って頂けないのです。どうしてかしら、と思っていると傍らの将校の方が「その人は兵隊ではないのです」といわれます。それは軍属《ぐんぞく》（軍人でなくて軍に所属する文官・文官待遇者など）として働いておられる方でした。この方だって兵隊さんと同じように戦地で働いておられるのです。慰問品を受けて下さる立派な資格はあるのに、遠慮していらっしゃるのだと思い、無理に差し上げると、困ったような顔をしていらっしゃいましたが「有難う」とおっしゃって、風呂敷包みの中にしまって下さいました。

私たちがこの胸一杯にかかえ込んで配っている慰問品というのは、内地幾万人かの女子青年団の団員の人たちが、日夜寸暇《すんか》をさいて真心をこめて作りあげた、ペインテックスで描いた美しいハンカチーフやら、可愛いお人形、日章旗など、何万個というほどを私たちに託されたものなのです。列車の着く各駅ごとに警備兵の方がおられます。私たちは列車の前の方に乗っているので、いつもプラットホームのない先の方で停まるのです。短い停車時間にこの警備兵の方々に慰問品を配るために、後の方まで走って行くのに一苦労します。

名古屋新聞上海支局長宇崎先生に見送られいよいよ南京へ

でも「兵隊さん御苦労様です。慰問品です。どうぞ」と大声で言えば、手のあいている兵隊さんは、向こうでも走って来て下さいます。立哨《りっしょう》（一定の場所に立って警戒・監視に当ること）中の兵隊さんは（自分のいる場所を離れることはできませんので）にこにことして見守っておられます。

ある駅などでは、とても兵隊さんのいるところまで遠くてむりです、といわれましたが、どうせ上げるならばと、雅楽ちゃんと力一杯走ってみてもやっぱり駄目。もう列車が動き出したので、あわててそこの石畳へ置いて列車に飛び乗り、大きな声で「慰問品ですからどうぞ」といっている間に、列車はもう駅を離れて青々とした田の中を走っていました。

次の駅へ着くまでの間に、大きな慰問品の荷物をほどいて差し上げる品を一まとめにするために、大変な忙しさです。その上に非常な暑さで、額を流れた汗が眼にしみて閉口しました。

そんなことを繰り返しているうちに、ある駅からおびただしい数の兵隊さんが更に乗り込んで来ました。「眠い眠い」「昨夜から一睡もせんのだからなあ」と言っています。急に私たちも何か強い戦争の空気というものに直接にぶつかったのです。

「ゆうべはひどく逆襲して来やがって、処置なしだったなあ」

と、すぐ後のさっき一緒に乗った兵隊さんに呼びかけます。

「俺は支那兵がしみじみ憎いよ」

「戦死したみんなのことを思ってみろ、癪《しゃく》にさわって仕様がないから、今度敵のやつを見たらどうしてやろうかなあ」

と濃い紫外線除けの眼鏡の下から、じっと一点を見つめたまま、その人は動きません。

「日本人らしく一刀のもとに斬り捨てろ」

すさまじい気魄《きはく》が車内に籠《こ》もって来ました。そしていくら殺されても、それが敵兵と名のつくものであるならば、残酷とは思わない。極めてあたりまえのことのような気がしてきます。女の私がこんなことを書いたなら、内地の人はどう思うかしら。戦地へ来れば、生か、さもなければ死、どちらか一つなのですから、至極《しごく》単純なものの考え方に帰着します。それだけ、半面に極めて純真な心にかえります。

戦死した戦友への激しい追憶は、内地の人が思いもつかないほど、兵隊さんの心を感傷にさそい、ある時は激しい痛憤《つうふん》に立ち上がらせるのです。

武昌関駅《ぶしょうかん》。この兵隊さんたちが話し合っていた蘇州西方〔三〕里（一里は約三・九キロメートル）の地点にある武昌関駅に私たちの列車は迫っていました。

駅は敵襲のために火災を起こして、骨組だけになり、それがいまもってぶすぶすと煙を噴き出していました。

この駅には〔十二〕名の守備兵がいたのだそうですが、それを敵は三百名もの正規兵で手榴弾、機関銃等で逆襲して来たのだそうです。

「第一次の増援隊は全滅、第二次でやっとやっつけたのです」とさっきの兵隊さんが言っていました。鉄道員、兵、各〔二〕名戦死、重傷〔八〕名、行方不明〔一〕名の犠牲とのことです。煙をかぶりながら徐行していくこの私たちの乗っている列車は、戦闘後最初に通る列車だそうです。急に戦場の生々しさに突き当たったのです。慰問品を皆さんに配っていた頃の私たちの明朗さは静まって、この煙の駅を息づまるような思いで見送りました。

十六時四十分　南京着。

山田本部隊、池田（賢）兵站部へ御挨拶に伺いました。指令を頂き、宿舎が泰山閣に決まると、私たちは今日一日の生々しい興奮でぼんやりしてしまいました。まだ戦場に馴れないためなのでしょう。

六月二十七日

私たちの宿舎の部屋から長い山裾《やますそ》を引いた紫金山《しきんざん》の姿が美しく見えます。

上海が華美で嘘と歓楽と犯罪と紛争の坩堝《るつぼ》であるならば、南京は落ちついて男性的な、木綿の手ざわりを楽しむような味を持った街です。

三宅部隊に名古屋でお世話になっている〔三味線のお師匠さんのご長男で〕御近所の渡辺清彦さんがおいでになることを伺っていたので、さっそくお電話をおかけするとじきに来て下さいました。私たちを見るといきなり、

「大きくなったなあ……」と、私をまるで子供のようにおっしゃいます。三年の年月は、その間の御苦労もしのばれて、清彦さんは随分《ずいぶん》ふけたような気がしました。

お抹茶がお好きだったので、私が用意して行ったのが役に立ち、粗末ながら〔角砂糖をお干菓子に見立て〕、みんなでお茶の席を開きました。郷里の名古屋で催したお茶の席のように。

しかしながら、お抹茶の味は変わらなくとも、渡辺さんは凛々《りり》しい軍服姿。窓に紫金山をながめながらのこのお茶の席は、しみじみと自分たちの生涯と進展する時代というものを考えさ

せられました。

「家へ帰ったようで、これでまた三年はええなあ」と期せずしてお国言葉をまるだしで、私たち共々嬉しい心でした。このお茶の席は終生忘れられないものとなることでしょう。

十四時から上陸以来初めての大がかりな慰問演芸会へ行きました。

中央大学の跡とかで、随分立派な建物です。ホールもゆうに二千人は入れようというほどで、全く恐ろしいばかりの広さです。舞台もそれにつれて左右十三、四間(一間は約一・八一八メートル)、奥行四、五間もあろうという豪華なもので、それにまた、その座席には、これは通路もなにも一杯の兵隊さんで、私たちは手足がすくみそうでした。

この舞台に対して、私たちの素人《しろうと》演芸は何とみすぼらしく見えたことでしょう。中には演芸を半分やって立ちすくんでしまって、そのまま真っ赤になって引きさがってくる人もありました。

ところが、案に相違しての好評で、一つ済むたびに破れるような拍手が送られます。二階の隅の白衣の天使さんたちまでが盛んに拍手を送って下さるほどで、思わずほっとした様子がみんなの顔にみられました。

舞台から降りて、ふとここへいらっしゃることの出来ない重傷患者さんのあることをお伺いして、すぐその足でみんなして各病棟へお見舞いに出かけました。

部屋へ一足踏み入れると、病室特有の強い薬品の臭いが迫ってきます。その中で、一人の患

者さんにベットの中から突然、

「僕、なおるでしょうか……」

とまるで母親にでも尋ねるような、しんみりした言葉で呼びかけられてハッとしました。見れば大腿骨折で足の先に何瓩《キログラム》かの重錘《おもり》がつり下げられ、見るからに痛々しげで、しかも呉淞の敵前上陸以来だとすると、もう一年十か月にもなるわけです。

名古屋の陸軍病院におられたKさんのことを思い出しました。

すっかり声が上ずってしまって

「ええ、もう近くお立ちになれるようになると思いますわ」

と言い終えると、もうその患者さんを見ることが出来なくなりました。

ああ何という白々しい言葉でしょう。――でも私のその言葉を喜んで、吐息《といき》のように、

「そうでしょうか……」

と言ったまま、眼を閉じていらっしゃいます。私は他の人にさとられぬように、そっと涙を拭いました。

私の涙が解ったのか、その患者さんは毛布で顔を覆ってしまわれました。

あわただしい旅なので、その後御見舞に伺うことも許されず、経過のお便りを知る由もありませんが、心ならずも南京で言った私の白々しい言葉は、永く私の胸の底にこびり付いてしまっ

て、内地へ帰ってからも足の不自由な人をみるたびに、はっと、釘づけにされたようになってしまうのでした。

それから特別の御好意で、女人禁制の綏精《すいせい》軍官学校を磯部少佐殿に見せて頂きました。校舎はこの国特有の、そり屋根。赤や青で豊かな色彩をほどこされた建物でした。以前は集団結婚式場に使用されていたのだそうです。かつては、この青いステンドグラスのやわらかい光の下に、今日を晴れと着飾った幾組かの花嫁花婿たちが、新生活運動（一九三〇年代に蒋介石が始めた生活様式と社会倫理の改進運動）の誇りや、若き日の夢を胸一ぱいにふくらませて、ここに居並んでいたことでしょうが、今はその同じ場所に、幾百かの若さに満ちあふれる魂と肉体を持った次の支那を背負ってたつ兵隊さんたちが、正しき中華民国（辛亥革命で清朝が倒れた後、一九一二年成立したアジア最初の共和国）、正しき東亜（中国・朝鮮・日本などを含む東アジア地域。日本はアジア支配正当化のため「大東亜共栄圏」という標語を掲げた）建設の大理想に燃えて、勉学と鍛錬《たんれん》に余念のない姿があるのです。

南京光華門

六月二十八日

久しぶりの快晴に心からすがすがしくなりました。午前中は牧野少尉殿の御案内で紫金山、中山陵（孫文の墓地。中山は孫文の号）などの戦跡見学をさせて頂きました。

中国国民党葬　総理孫先生於此

この碑があります。かつての孫文（中国の革命家・政治家。一九一一年辛亥革命に際し臨時大総統に選ばれる。翌年、中華民国建国）も自己の唱えた三民主義（民族主義・民権主義・民生主義）が、自己の部下であった蒋介石（中国の政治家。中華民国総統。第二次大戦後、国共内戦に敗れ台湾に退く）にあまりにも曲解《きょっかい》されたのに驚き、そしてわが軍が孫文に対する敬意をもってこの中山陵を非常に苦心して戦火の破壊から完全に救い、中国の全土に日本が道義的な堂々たる戦いを続けている有様を地下から見て、ひしひしと感じ入っていることだろうと思いました。

まだはっきりと覚えている十二月十三日、脇坂部隊一番乗りの号外を踊る胸にだきしめつつ、臨時ニュースに聞き入ったあの日が、光華門を前にしてまざまざとよみがえって来ました。工兵隊の尊い破壊の跡もまだはっきりと感じられます。牧野少尉殿から激戦だったお話を伺いながら、城壁の上に登ってみます。私たちの想像していた城壁は、重砲（強大な威力を有する口径の大きい火砲）の二、三発くらい当たれば、突撃路は何なく出来るように考えていましたところ、厚さ七、八米《メートル》、高さ三十米余もあり、その頑丈なのにすっかり驚きました。

そして、こんなものが私たちの兵隊さんを苦しめたのかと思うと、くやしいような腹立たし

中山陵の前にて（左より二人目が著者）

いような気がしてきます。

少尉殿がすぐ前の三つ又になっている路を指さしながら、

「ここまで来ると、友軍（味方の軍隊）が何ともすることが出来ないほど、弾丸が飛んで来ました。その中を伊東中佐殿はやっと、その眼の下のくぼみまで進まれた。部下が後退して頂くようにお願いしても、どうしても引かれず、とうとう戦死されたのです」

と教えて下さいました。そして今もその傍らに白木の墓標が線香の煙の中に立っていました。その煙はちょうど、阿修羅《あしゅら》の如きお姿が城壁を登ってゆくように見えました。そして城壁の上にへんぽんとひるがえっている日章旗が、その日その時の感激を表徴しているようです。

私はその辺一杯に聞こえるような大きな声で感謝の言葉を言いたいのでした。ですけれど、それはどう表現してよいのか判らない言葉なのです。

城壁の下には、わが軍の手であつく葬られた敵の遺棄死体を埋めた所があります。白骨が散乱し、鉄かぶとや軍服等が雨にうたれ風にさらされて、今はぼろぼろになったのがひとしお哀れでまだ真新しい卒塔婆《そとば》（供養のため墓に立てる上部を塔形にした細長い板）とともに目をひきます。上海北停車場で逢った墨染の衣を着た坊さんが再び南京へ来ると言っていた言葉を思い出しました。そして日本人としてこみ上げてくる嬉しい温かさがあって、私の心を救ってくれました。

私たちはそこからトラックに乗って雨花台（中華門外南にある低い丘で南京攻防の要地）へ向かいました。その途中で不思議な女の姿をみました。草むらの中へすうっと座ったかと思うと、程なくまたすうっと立ち上がる。その時に支那服のズボンのようなものをすうっと上へあげるのです。それがちっとも不自然でなく、初めは何をしているのか解りませんでしたが、それは用を足したらしいのです。少しも汚《けが》らわしいようにもみえず、本当に自然なので、この国には便所がなくて往来ですますとよく聞いていましたが、今の様子では不衛生には違いありませんけれど、内地の人が思っているほど不快ではなさそうだと思いながら、団長やら長谷部先生と話し合いました。

池田部隊本部へ御挨拶に伺いました。

ちょっとの間、出口のところに立っていましたら、兵隊さんが「サインをして下さい」と手帳をお出しになるので「私たちは芸人さんたちと違いますから、とてもそんなこと出来ません」というと、「ただ名前だけ記念に書いてくれればいいのですよ」とおっしゃるのです。何しろ生まれて初めてのことなので、どんなふうにしてあげてよいのか判らず、それで隅の方に小さく書かせて頂いてすぐ中に入ろうとすると、あちらからもこちらからも「僕にも……」「俺にも頼む。良い記念だ」とウワァと人垣が出来てしまう。ただでさえ生まれて初めてのことなのに、こんなに沢山の兵隊さんにガヤガヤ言われると、どうしてよいのか本当に解らなくなってしまい「もう堪忍《かんにん》して下さい」と逃げ出しました。

光華門のもとに葬られた中国兵

私たちの名前なんか何でもないのに、どうしてなのかと思います。

大勢の兵隊さんが見送って下さるなかを、和服でトラックに乗ることには困ってしまいました。

「また前線で逢いましょう」

「今度は〔一握〕（戦死して遺骨となること）です」

「逢う時は前線でね……」

みんな真っ黒な元気な顔で、私たちを

送って下さいました。

この人たちは明日は前線へ出ると言っていらっしゃいましたが、どうぞ元気で私たちを待っていて下さい、と武運長久を祈る心で一ぱいでした。

十七時から南京新報社での支那の娘さんたちとの座談会へ出席。手まねやら、筆談やらで随分いろいろ話し合いました。

「今度の戦争でお国をこんなに破壊してしまいましたが、それに対してどんな感情をお持ちでしょうか」

と伺ってみると、女性編集長王英さんは、

「初めはとても嫌な気がして、日本の軍隊に好感が持てませんでした。しかし、この頃になって本当のことが分かってきました。日本の軍隊を絶対に信頼しています。日本の軍隊はこれまでの支那の軍隊とは全く違うものだということが良く解って、むしろ感謝しています。これからこそお互いに助け合い、協力して楽土建設に進まねばいけないと思います」と通訳の人を通してておっしゃいました。

もっと支那語が解ったらどんなに良いか、支那語も学ばずに来た不用意さが悔やまれました。東洋は東洋人の手で。こうした日が一日も早く来るようにお互いに努力しましょう。

誰の思いつきか、この支那の娘さんたちと着物を取りかえて写真を撮りましょうということになり、私が支那服を着たらとても似合って、中国姑娘《クーニャン》（むすめ）ぶりがいいと皆さんが笑いました。ホテルに帰ったら、軍報道部の江崎さんが、

「支那の女性を裸にしたのは、あなたたちくらいのものでしょう」とおっしゃいました。女同士の会合は男の人たちとは別な、本当の意味の日支提携が出来てゆくのだと思います。

もっと、あんなことも、こうしたことも聞いてみたかったと思いました。

〔帰ってから江崎さんの御案内で「駐東劇茶館」に連れていっていただきました。本来はお茶を飲むところだそうですが芝居を見せてくださいました。汚い土間へ粗末な腰掛けを並べただけの客席ではみんなのんきそうに芝居を見ています。日本の芝居でもそうですが、特にこちらのものは「目をつむっていても音楽を聞くだけで、いまどんな独白《せりふ》をいい、どんなしぐさをしているのかわかるのが通という」と出発前に満州国の人たちが教えてくださったことを

南京新報社で女性記者の方々と座談会
（立っているのが女性編集長王英さん）

思い出しました。
「ここに出ている女優さんなんか、なかなか威張ったもので客席へは来てくれません」と江崎さんがおっしゃいます。見るとなかなか美しい人ですけれど、あの支那美人特有の〔細い切れ長の目に眉のつりあがった〕美しさではなくてもっと欧米風の顔立ちの美しさのように思われました。やはり日本でも浮世絵式の美しさは失われていくのと同じなのでしょうか。ただ、音楽は騒々しいだけで、どこがいいのか私にはわかりません。でもあの頽廃《たいはい》的な胡弓《こきゅう》（二弦で奏する東洋の伝統的弦楽器）の音だけは忘れられないものがありました。

自分がこうしたなかで今まで暮らしてきただけに、まだまだいろいろ書きたいこともありますが、それはこの日記のもつ使命とは大分離れているようですから、いずれまた……。

それより、夫子廟《フーツミャオ》までぶらぶら歩いてゆくと、ちょうど大須《おおす》（庶民の娯楽場といった賑わいをみせた名古屋の大須観音界隈）のようなところらしくなかなか賑やかなので、これが戦地なのかとふっと妙な気がしました。

○○劇院、○○電院とかいうところからは、変な不健康そうな女が私達をじっと見送っているので何だか気味が悪く、足早に通りすぎました。でこでこした石畳の上を洋車《ヤンチャー》（人力車）がきしきし音を立てて走り過ぎて行きます。何を考えるでもなく別に用事もなさそうな支那の人が多いのに、さっき芝居を見ていた人たちとも思いあわせて、亡びゆく国の人の姿を見せつけられたような気がしました。」

〔秦の始皇帝（紀元前二二一年中国史上最初の統一国家、秦を築いた皇帝）が開鑿《かいさく》したとかいわれる秦淮河《しんわいが》（南京を通り長江にそそぐ運河。その両岸は歓楽街として栄えた）のほとりにある「太平洋《タイピンヤン》」へ夕餉《ゆうげ》を食べに行きました。テーブルの汚いのにはいささか嫌になりますが「大陸へ来たらば大陸の人にならなければ暮らせません」とおっしゃった山崎先生のお言葉を思い出してじっと我慢いたします。本場の南京料理のせいか、見たところよりはずっとおいしい。これが綺麗だったら……。団長は家鴨《アヒル》のどぶづけで「松花《ソンホア》」（ピータン。アヒルの卵を石灰・粘土・塩につけて作る食品）とかいうのを、おいしいおいしいと召し上がっています。なんだか汚らしいけれど、あまり勧めてくださるのでそっと口にいれてみると、やわらかいモチモチしたものなので団長のお好きなわけがわかります。団長はあご付総入歯なのですから……。

おわってから画舫《がぼう》（美しく飾った遊覧船）を見にベランダへ出てみると、赤や青の灯をつけた船は、さして広くもないこの流れによくぶつからないと思うほど沢山います。川岸にはお蔵のような家が並んで、行きかう船の中からは、大勢の音楽の音のもれ聞こえるものもあり、たった一人の女の人の胡弓を弾いている音がかすかに流れてくるものもあります。この辺は昔から有名な美妓《びぎ》の多く出たところとかで、またその人たちのすばらしい詩もこうしたなかから生まれ出たのかと、一瞬何もかも忘れてうっとりしました。どの人を見ても楽しそうなので、いったいこの人たちは自分の国が戦争をしているのかしらと思うと、哀れにさえなってきます。〕

六月二十九日

宿舎の皆さんの部屋が三階なので、何をするのにも階段を上がったり下りたり、大変です。

「今から大別山《だいべつざん》（華中と華南を別ける山脈）を越すウォーミングアップよ」なんて言って笑いました。

こちらの人は間食をとらないのかと思われるほど、お菓子を売る店もなく、お茶を飲むところもなさそうで、甘いものの好きな私達は困りました。

とうとう宇崎先生におねだりして、中央ロータリーの華中喫茶に連れて行って頂きました。歯切れのよい東京弁がきこえます。びっくりすると、ここの女主人は東京の人とかで、私たちを懐かしがって下さいました。

李香蘭《りこうらん》（中国人スターとして一世を風靡した日本人歌手・女優。日本名、山口淑子）の「君再見何時日」の支那語版のゆるやかなレコードが久しぶりに私たちの心を女らしさにもどしてくれます。〔私はどうしてもこの歌が覚えたいと思い、いつも塀によりかかって歌っているホテルのボーイに頼んで、楽譜も何もない口伝えで教えてもらいました。〕

上陸以来、初年兵のように毎日毎日を兵隊さんの中で暮らしていますと、いつの間にやら言葉から態度までが軍隊調になってしまうことに気がつきました。

やっぱり女は女らしくなければいけない、と自分を振りかえりました。

夜は中華門の飯塚（純）部隊鈴木隊へ慰問演芸にお伺いしました。

着物を替える部屋は大勢の兵隊さんと毛布をつるして隔ててあるだけなので困ってしまい、みんなで交替で継ぎ目や破れ目に立って、やっと替え終わったのでした。

舞台に並んだとたんに、すぐ間近で、「気を付け」の号令がかかったので、皆びっくりしました。今までガヤガヤしていた兵隊さんが水を打ったように、ビシリと直立不動の姿勢で、私たちに敬礼して下さるのでした。

太平路を洋車にのって

　みんなあわててお辞儀をしましたが、すっかり恐縮してしまい、こんなにどきまぎしたことは今までにありません。

〔それから小盗児市場《シャオトォルシーチャン》（泥棒市場）へ行きました。大分前までは本当に泥棒してきた物ばかりでしたが、今は商人がほとんどですから昔のような掘り出し物はないそうです。

　通路の両側とその真ん中に小屋掛けした、ちょうどお彼岸さま（彼岸の縁日）へ行ったようなふうで、どんな物でもあるのには驚きます。紫外線避けの眼鏡（サングラス）

を一元二〇銭といっているのを、とうとう六〇銭にしてもらいました。それまでにするのに、向こうの大きな声に負けまいとしてこちらも大声でわめきあうので、その騒々しいのはお話にならないほどです。この調子で、二、三買物をするなら疲れてしまいそうな気がします。みんなが、物がほしいよりも買い始めた時の価格から、いいかげんな支那語でまけさせるのがおもしろいので、何でも手あたりしだい値切って歩きました。すべての人々がこんなふうで取り引きをしているのですから、この街の中は、まるで煮えたぎっている油へ水を落としたようなもので、何とも手のつけようのないほどごった返しています。

早々にこのやかましさから逃げ出して帰りかけたところで長谷部先生たちと御一緒になりました。「漫々的《マンマンダ》」（ゆっくり）「快々的《カイカイダ》」（急いで）「等一等《ドイードン》」（ちょっと待って）の三つだけの支那語で洋車にのって買物にいらしたので、「先生の心臓支那語」だと皆で言いました。

二時からの慰問が中止になったと聞き、みんなゆったりした気持ちになり、もう一度小盗児市場に引き返しました。」

六月三十日

今日も紫金山は美しく、深い蒼空《あおぞら》にそびえ、気象台の真っ白な屋根がくっきりと浮かび上がっています。

南京の役所屋上でだちょうの羽の扇子を手に
（左より著者、永田、浦川）

のびのびになっていた報道部の馬淵大佐殿に今日こそお目にかかることが出来ました。

「よくこんな小さな人たちばかりでやって来ましたね、泣く人なんかいないかね」

眼鏡をかけた温顔《おんがん》をほころばせながら、いろいろとお話して下さるうちに、初めてお目にかかったのに違いないのですが、何だかもっとずっと前から、こうしてお話を伺っているような親しいものが湧いてきました。これから前線へ運ばれて行くのだという伝単《でんたん》（宣伝ちらし）が山と積み上げられた机を傍らに、馬淵大佐殿は戦争と宣伝戦ということを、私たちにも非常に判り易い言葉で話して下さいました。

「敵のデマ宣伝というものの一例を上げれ

ば、つい先頃もラジオで我軍〔支那軍〕は東京湾敵前上陸に成功せり、一挙に東京市内へ殺到す、というようなことを放送しているのです。実にでたらめで噴飯《ふんぱん》ものですけれども、こんな下手《へた》な敵の宣伝でもたびたび繰り返されると、外人等はもちろん、外地《がいち》（日本国外）に居る日本人やら前線にいて後方の連絡のない兵隊たちはどうかすると錯覚を起こしそうになる。そこに宣伝というものの恐ろしさがあるのです」

私たちがこれまで戦争の様子を知る唯一のもの、新聞や雑誌などに関係の深いお話を伺うことができて、こうしたお仕事を女の私たちですら、非常に興味深いものと思いました。

馬淵大佐殿も私たちと同じ郷土を持たれるお方でした。

宿へ帰って、御無沙汰をしている内地の人々へ寄せ書きで便りをしました。こうして手紙を書いていると、出発してからまだやっと八日目なのに、何だかもう半年も過ぎたような気持ちがしました。

夜おそくふとベランダに出ると、大きな月が浮かび、空は雲一片もなく深く澄んで、その闇の底に南京城の城壁が黒々とどこまでも延びてとけ込んでいました。

山崎部隊長殿もおられて、

「今夜の南京の月のように、あなたたちのような若い女の人は澄みきった美しい心が大切ですよ。この南京の月を忘れてはいけません」

と、静かに慈父《じふ》のようにおっしゃいました。

私はふと内地にちょうど私たちくらいの年齢のお嬢さんでもいらっしゃるのではないかしら、立てば三軍を叱咤《しった》するお方も、やはり故郷を思い、今夜のような時はお身近な色々の人をお偲《しの》びなさっておられるのであろう、と思いました。

支那に派遣されている沢山の兵隊さんの心にこの月はいろいろの夢を描かせることでしょう。

兵隊さんと共に船倉で

七月一日

南京へ来てからもう六日の日が過ぎました。この風景の中に私たちはすっかり馴染《なじ》んでしまい、街角のポスターにすら懐かしい感じを抱きはじめました。

もう南京での予定行動はすっかり終わったので、私たちは一時も早く前線へ、郷土部隊の人たちが待っている前線へ、行かねばならないのです。

明日は船に乗れそうだ、というのが早くなって、午後には乗船出来るという電話に一同目のまわるような忙しさになりました。

南京にいた間、何かと郷土の匂いを伝えてくれていた中華喫茶で、みんなでお菓子を食べ、コーヒーを飲む。「これから先幾十日かの間こんな雰囲気になれないのね」と誰かが言いました。みんなしんみりとレコードを聞きました。そしてとうとう天野さんにおねだりして、ここでよく聞きなれた李香蘭の「君再見何時日」のレコードを買って頂きました。

十五時が来たので〔下関碼頭《シャカンマトウ》（船着場）〕へ行き、実に苦労して乗船券を頂きました。

乗船場は広漠として、小さな日蔭一つとてないところへ烈しい大陸の陽がぎらぎら照りつけています。何千もの兵隊さんは汗びっしょりになって乗船を待っていますが、荷物を積み終わるまで誰も乗船出来ない、というので、路傍に腰を下ろしたり、ぼんやりと立っていたり、どの兵隊さんたちも全く体をどうしてよいのか、汗と暑さをすっかりもてあましているようでした。しかし、戦闘帽の下からのぞく両眼は、これから前線へ行く、という激しい何ものかに輝いていることはまぶしいほどでした。

またしてもここで私たちの下手なサインを頼まれました。いつまで待ってもなかなか乗船出来そうにもありません。

出発の時に水筒に一杯入れてきたお湯は、肝心《かんじん》の昼のパンを食べる頃にはすでに空になってしまい、部隊本部まで頂きにいかなくては一しずくの水もなく、この沢山の兵隊さんの中を通りぬけてゆかなくてはならず困っていますと、一人の見知らぬ兵隊さんが「ああこの間の慰問団の人たちですね、僕も貴女《あなた》たちと同じ名古屋ですよ」と話しかけられました。私たちの空の水筒をみて、みんなの水筒を持って部隊本部から湯を入れてきて下さいました。本当においしいお湯でした。

そのうちに、私たちの存在が目立って、「僕も名古屋の者だ……」「俺もだ」と次から次へこの部隊の中から郷土の兵隊さんが、休んでいる私たちをとりかこんで、郷土の様子をお聞きになりはじめました。どんな小さなことをお話しても、それはひどく懐かしいらしく、満足を表情に出してきいて下さるのでした。そして時にはいろいろのお言づけを頼まれたりするのです。聞き落としてはいけないと、私たちはそれを忙しくメモに拾ったりしていると、誰かが「酒保《しゅほ》（軍隊の営内にあった日用品・飲食物の売店）があいたぞ……」と大声でどなりました。バラバラと兵隊さんたちはその方へ駆けて行きました。私たちが酒保に行きついた頃は、満員で腰を降ろすところとてありません。カーキ色の軍服ばかりの中では、地味《じみ》なつもりの私たちの服のわずかな赤や青の色彩も、目立ちすぎて、どこにいても沢山の兵隊さんたちの視線を浴びて、余程食べずにかえろうかと思ったのですが、みんなお腹がすききってしまっているので、勇を鼓《こ》して中に入り、隅の方にやっと腰をかけました。食事は細いパサパサしたうどんでした。

郷土の兵隊さんたちは瞳をうるませて、

「家へ手紙を出して、皆さんにお目にかかれたことを言って喜ばしてやります」と言って下さると、私たちも何だか感激をしてしまいます。

随分待ったような気がするのですが、まだ乗船出来そうにもありません。

先日、中華門外の池田部隊本部で御慰問した時の兵隊さんもいて「また、前線で踊りを見せて下さいね」などと言われました。

やっと乗船出来ることになりました。

広場は一隊ごとに見事に整列した軍隊でうずまり、各隊ごとにかけられる勇ましい点呼の号令が隅々までも響き渡りました。重い背嚢《はいのう》（リュック）を背負い、沢山の武装を身につけた兵隊さんは、銃を手にして水を浴びたように汗を流しながら、黙々と一中隊ずつタラップを上って行きました。誰も滑らぬように靴の中ほどに縄をグルグル巻きつけていました。

そして、あれだけ沢山いた兵隊さんたちの乗船が終わってから、やっと私たちの順番が来ました。その頃はもうみんなちょっと動くのも億劫《おっくう》なほど疲れてしまっていました。リュックサックを背負い、ともすれば滑り落ちそうな鉄のタラップを注意深く上り、やっと船上の人になると、誰の顔にも待たれたものが得られた喜びがありました。

船員に案内してもらって、船尾の船倉へ近づくと、むっと胸をつく油臭い空気にとても耐えられなく足がすくみました。私たちの場所として定められたところは、この船倉の一番下で馬の注意書が貼ってあり、平素は荷物やら馬を繋《つな》いで置く場所であることがわかりました。そこは私たちの家の天井位の高さを二段に区切ってあって、上段にも下段にも人がいるのでした。それでもまだ私たちは明るい方の場所を頂けたのですが、暗い場所では昼間でもはっきり物を見ることが出来ないほどです。滑りやすい細いはしごを何度か上ったり下ったりして、私たちの身のまわりの荷物を運び終わった頃は、大陸の長い昼間もようやく暮れはじめた頃でした。

私たちのまわりはどこをみても蚕棚《かいこだな》（蚕を飼う籠をのせる何層にも重ねた棚）のように低い棚が一面に並び、そこは皆兵隊さんで一杯につまっています。あれだけの兵隊さんがよく乗れたものだと思いました。そして私たちのいるところも他の兵隊さんと同じように、どこからも見通せますし、これだけの人のいる中に女性といえば私たち七人だけで、それが非常に飛び離れた存在であり、必然的に私たちの周囲には始終たくさんの人の瞳があることになりました。

船倉はペンキの臭い、油の臭い、何千人かの呼吸の濁った空気が、百度（華氏。摂氏約三十八度）の炎熱に蒸されて、息のつまりそうな苦しさです。そして私たちのような背の小さい者でもぴんと立ち上がることも出来ない。そしてお互いがぶつかり合って自由に手足も伸ばすことも出来ないのでした。このままで私たちは幾日も暮らすことになったのです。

兵隊さんたちはこの暑さのために、みんな裸になっています。この沢山の男性の肉体は誠にまぶしいほどです。下の段を見下ろすと、ちょうど角力場《すもう》のあの桟敷《さじき》の下でまだとりてきに（力士の最も下級のもの。ふんどしかつぎ）にもなれない人たちが仕度《したく》をしている、あの有様を思い出しました。

暗い電灯がともりました。馴れない私たちはたちまち頭が痛くなる。兵隊さんたちは悠然と構えて、これで満足という態度が全くこれまで体験しなかった尊いものに思われ、私たちの心も非常につつましいものになりました。この姿にこそ、私たちの軍隊の底知れない強さというものをみせられた、という感じでした。私たちのような女性で、こうした御用船（政府の使用に供する船舶）にこのように兵隊さんと同様に乗せて頂き、兵隊さんと同じ毎日を送られることの出来るのは、苦しいけれども、もったいないほど幸福だと思ったりしました。あまり今までが静かであったので、戦地へ来たことをともすれば忘れがちになった心を、この辺でグッと引き締める良い機会だとも思い、どの兵隊さんも味わうこの苦痛を自分も知ることが出来て、本当の兵隊さんの心というものに触れることが出来たような気が致しました。

何もすることがないので、一番若い三千ちゃんがトランプを出してきてみんなで並べはじめたのですが、あまりにこの場の雰囲気とかけ離れたものであって、ちっとも面白くなくすぐに止めてしまいました。それほどこの船中には何か激しいものが、わんわんとうなりまわっているのでした。

二十二時消灯。

毛布の下給はなく、板の上にうすべり（ござ）があるだけなので、寝ようとしても背中が痛く、それに顔のすぐ上にある細いパイプの上を鼠《ねずみ》が往来するので、気味悪くて仕方がありません。

今までガヤガヤといっていた兵隊さんたちが急に静かになったと思ったら、大きな声で一斉に
一、軍人は忠節を尽くすを本分とすべし
一、軍人は礼儀を正しくすべし
と、御勅諭《ちょくゆ》（天皇の下したことば）を奉唱しはじめました。一行は思わず飛び起きて粛然《しゅくぜん》としました。

しばらくしてから、船員の御好意で氷の入った砂糖水を頂きました。実においしいので、近所の兵隊さんたちにも分けました。遅れて来た兵隊さんが何もないバケツをのぞきこまれるのをみて「ああ私たちは飲まなくてもよかったのに、残しておけばよかった」と思いました。

女性であるために、こんなにどこへ行っても大切にして頂けるけれども、この好意に甘えすぎてはいけないと自分の心に固く誓いました。

今日から、本当の人生スタート二等兵。

なかなか眠られず、夜中に蚤取粉《のみとりこ》をまく。

七月二日

眠られなかった一夜。何だかぼんやりしています。歯ブラシを持って甲板《かんぱん》へ出ると、小雨がしっとりと降って、そこはもう兵隊さんたちで一杯になっていました。

両岸はずっと平野が続いて、昨夜からの雨に楊柳の緑が目にしみ入るほどに、美しく冴《さ》えて

います。

今朝は早川さんと浦川さんが食事当番なので、鈴木班十名と書いた小さな木札を持って、食事を上甲板まで取りに行かねばなりません。内地の兵営（兵隊の住んでいる所）で使っているアルミのバケツのようなものの中へ、炊事場で御飯と味噌汁を入れて頂き、梅干しを人数だけ頂いて来ました。

これは本当に兵隊さんと同一の給与なのです。

はじめはお湯へつけてふくらませたような、味もねばりもない御飯と、粉末の固形味噌を湯で溶いただけの味噌汁は、何とも言えない匂いがしてどうしても喉を通りません。

まわりの兵隊さんはと見れば、とてもおいしそうにしてもう終わりに近い組もあります。

こんな食事が食べられなくてどうする。

故国を発つ時にみんなに何と言ってきた。

と自分で自分を励ましながら、やっと一杯をかたづけました。

すぐ前の蚕棚の上から、私たちのもてあましているのをみて、

「無理ないですよ、一苦労せんとこの飯は食えんです」と兵隊さんが言います。

十人分が半分もかたづきません。

昼は切干しと福神漬、でも乾燥野菜特有の匂いが鼻をついてたまりません。

朝がた兵隊さんに自動車部隊の歌をお教えして、少しではありますがみんながこの退屈から

甲板に響く自動車部隊の大合唱

のがれることが出来ました。

それをきいて他室の兵隊さんたちも、

「僕たちにも教えて下さい」

「自動車部隊だからぜひ覚えたいのです」

と大勢で押しかけていらっしゃいました。

みんなで甲板へ出ました。

団長と長谷部先生が一段高いところへ上って、

「降ればぬかるみ、吹けば砂、弾丸にゃ恐れぬ俺たちも、泣けた悪路の幾百里」

と歌い出しました。

そうすると、太い腹の底からこみ上げて来るたくましい兵隊さんの声が続きます。

「よくもここまで乗りきった、さすが自慢の国産車」

「よくもここまで乗りきった、さすが自慢の国産車」

この合唱が期せずして、この船全体に響き渡りました。甲板には一人増し、二人加わって一杯になりました。

「征野千里の空晴れて、今こそ仰ぐ日の御稜威《みいつ》（天子の威光）」

「轍《わだち》もごうごう大陸に、響くエンジン勇ましく、進む我等は自動車隊」

この大合唱は満々と渦巻く揚子江の流れを伴奏として、繰り返し繰り返し何度でも続けられたのでした。

ほんの短い時間でも、船倉の空気からぬけ出して、こうして和かな一刻を過ごすことは、誰の胸にも大きな嬉しさとなりました。

左手に〔蕪湖《ぶこ》〕が過ぎて行きます。

濃い緑を背景にしたこの赤煉瓦の街も、皇軍が占領した時は誰もいなかったのだとのこと。それが今では十二万とか聞く人口になったそうで、林立するジャンク（帆掛船）の帆柱もその繁栄を裏書きするようでした。

平和な美しい街。帰りには私たちも寄ることになるらしいのです。

午後からは兵隊さんたちにビールが渡ったので、たまらなく騒々しいことになりました。

佐渡おけさが始まったかと思うと、他方では軍歌が聞こえる。それに負けないようにまた一方でもどなり出します。蜂の巣を突っついたというのは、こんなことをいうのかと思いながら、私たちはただ呆然《ぼうぜん》と眺めていました。

これは決して、兵隊さんたちが楽しそうに歌っている歌とは、私には思えません。何ともおさまりのつかない、名状しがたい気持ちを叩きつけるような、無茶苦茶に、半ば気ちがいじみているようでもあります。いくら日本の兵隊さんが、生命はいらない、死ぬことは平気だ、といっても、そこへ行きつくまでの切なさはみんな同じなのだ、と私は考えました。ただ、最後は潔《いさぎよ》く、お国のために喜んで死ぬ、その尊きものへ達するまでのこれは一過程なのだ、と思いました。

どうせ眠れないのだけれども、少し昼間のうちに眠ろうかと横になってみても、頭上でも、隣でもガヤガヤと騒がれるのにはたまらず、本も読めず、手紙も書けません。何も考えることすら出来ない自分というものの、心のやり場所のない今の一刻は本当に寂しいものがありました。

こんな有様を故郷のお友達が知ったら、どう思うかしら。

夜になり、今夜も蒸し暑くて、とても眠れそうにもありません。

「暗くすると蚊《か》が来ますから、灯りはつけたままでお寝みなさい」と船員に言われて、内地とは蚊までも反対だと思いました。

寝るのにパジャマと着替えるのが、沢山の男性の眼の中でまた一苦労です。とにかく、どちらを向いても兵隊さんばかりなので、とても裸になることは出来ません。ちょうど隅にある太い鉄柱の蔭に、みんなで垣をつくりながら着替えをしました。

やっとそれも済んでさあ眠ろうとしても、まず団長と男の人たちに城壁のようにまわりへ寝て頂いて、その中へ私たちが眠るのです。狭いのでちょっと寝返りを打っても、すぐお互いがぶつかって眼がさめます。

スカートと上衣を毛布の代わりに下に敷き、レインコートをかけて眠りました。

今夜は〔安慶〕の上流に碇泊する様子です。

七月三日

固いベットにも馴れたせいか、或いはさすがに疲れのためなのか、昨夜は良く眠れて、今朝船の動き出したことは少しも知りませんでした。

船は夜の航行は危険なので、昼間だけ動きます。

七時朝食。ただむやみに口の中へ押し込んでみるだけです。

十時頃にちょうど「ペペ・ル・モコ」（映画「望郷」でジャン・ギャバンが演じた役の名）で見たカスバ（北アフリカの諸国にある城壁で囲まれた区域。城砦のある旧市街をもいう）のような街が見えてきました。美しい塔もまじって山の手に続く屋根の下には、ジャン・ギャバン以上に強くたくましい皇軍の勇士が往来するのが見えました。

これは〔安慶〕の街でした。

そこを過ぎると、昨日から見続けている風景と少しも違わない広漠とした青田ばかりが続いています。

そのところどころにポツンと日章旗がひるがえって、一人二人の通信隊の兵隊さんの姿が視界に入って来ます。今夜にでも敵襲されそうな、こんな寂しい所にガッチリと、護りを固めている兵隊さんの姿を見ると、声は届かないかも知れないけれども、私たちは、

「兵隊さん万歳、御苦労様」

と甲板からハンカチーフを振りました。

団長の鈴木さんは昨夜からお腹を悪くして、今日は絶食して、一日中甲板で坐禅をくんでいます。

夕食は特別給与で将校用の食事が頂けました。沢庵《たくあん》をはじめて入れて頂きました。何だかこの黄色い一片が宝物のようで、こんなおいしい味を持っていることを、今まで夢にも知らなかったのです。

この船の便所は、今朝までは甲板にほんの申し訳のように板で囲ってあるだけのもので、一番端の一つに女子青年団と書いた紙が貼られて私たちの専用にして頂いてありましたけれど、板の隙間がありすぎるので、昼間は皆が入れず、明け方のまだ皆寝静まっている間か、或いは

夜ずっと暗くなってしまうまで待ってからでないと使えないので、とにかく大変な苦労でした。

そして隣との境が、またちょっとあるだけという程度なので、一度などは用を足してすうっと立ち上がった瞬間に、隣に入っている兵隊さんとパッと顔が合ってしまい、恥かしいのなんのってそのまま消えてしまいたいようでした。

それがやっと将校用の水洗便所が拝借出来ることになり、安心することが出来ました。

今夜二十時から入浴出来るそうで、楽しみです。

この暑さは内地ではとても想像出来ないでしょう。じっとしていても汗はブラウスの上まで滲み出してしまい、それが幾日もそのままなのですから、これでサッパリお風呂に入れたら、どんなに清々するかと思います。

船は〔九江《キュウキャン》〕に入りました。立派な港です。

ここからは廬山《ろざん》（江西省にあり避暑景勝地として有名）は呼べば応えるほどの間にあり、南画（中国山水画二大流派のひとつ南宗画）を見ているような山水の美しさです。

山にかかった雲はまたひとしきりこの風景に、あの墨のぼかしのような味を加えます。

山の好きな母。平和になったらもう一度その母を連れてここへ来ることが出来たら、どんなに喜ぶでしょう。

廬山攻撃に苦戦した飯塚部隊を思い出します。遠く街中に英米の国旗の翻るのを見ました。

〔この国旗のために、非武装地帯を避けての我が軍の作戦はひとかたならぬ苦労があったのです。〕何ものかが胸につかえ、不思議なものを見た感じです。

いよいよ入浴が出来るというので、みんな大喜びです。この船に乗って以来、誰も一度も水で顔を洗ったことがないのです。毎朝この船が内地から積み込んできたとかいう石油臭い水を十人分バケツに半分ほど頂けるのですが、それでは十人が口をそそぐのがやっとなのです。

私たちは石鹸《せっけん》やら手拭《てぬぐ》いを抱えて風呂場へ飛んでゆきました。

でもそのお風呂は、黒く濁って、まるでコーヒーのようでした。私たちはさすがにたじろいで、どうしても体をその中に入れることが出来ません。あんなにみんな楽しみに待ったのですがあきらめて、片隅でそのお湯で体を拭くだけにしました。幾日もの汗と脂をただ拭くだけでは、ぎちぎちと手拭いがくっつくだけでサッパリせず、風呂場の蒸し暑さには、余計に汗が湧いてきます。

私たちは、ほうほうの態で逃げ出しましたが、後で手拭いがチョコレート色に染まってしまい、汚らしいのには閉口しました。

この水の汚さに馴れなければ、大陸ではとても生活出来ないそうです。

一時になって寝ました。今夜は甲板の板が外してありますのでいくらか涼しく、寝ながらいお月様が見られます。

揚子江をわたる風が心地よい

七月四日

今朝は食事当番なので早く起きました。小さな一枚の木札が食事を頂きに行く命の綱なのでなくさないように皆大切にします。炊事へ頂きに行くバケツには、いつもながら、「女子青年団万歳」とか「われらのお嬢さん慰問団」とかチョークで書かれてあるのにはちょっと閉口です。

重い食器を下げて手すりも何もない急なタラップを滑りそうになりながら、やっと船倉へ降りてゆきます。

昨日は兵隊さんが熱い味噌汁のバケツを持ったままで滑り落ちてしまいましたが、水でびたびたにぬれているタラップは本当に危険です。

午後はまた、兵隊さんたちにビールが渡り

ましたので、またあの空虚な騒がしさがしばらく続きました。

この船上で、私たちは今までと反対に兵隊さんたちと一緒に慰問袋（出征兵士を慰めるために中に日用品・手紙などを入れて送る袋）を頂けることになりました。私たちが頂いてしまってはもったいないのですが、君たちだって兵隊さんと同じ不自由をしているのだからもらったら良いだろう、と上官殿がおっしゃるので、兵隊さんの中にまじって一列に並び順番を待ちました。手渡されるのが待ち遠しくてならないのです。そして生まれて初めて手に入れた慰問袋はもったいない気がしてしばらくは開けることも出来ず、縦にしたり横にしたりしてながめていました。

これには東北地方のある女性の名前が書かれてありました。さっそく私たちが頂戴した事情を書いたお礼の葉書を書きました。私がこれを頂いたと知ったら、お送り下さった方はさぞびっくりなさるだろうと思います。中は本当に素朴な地方色豊かなものでした。この中に入れられていたコケシ人形は、私と共に戦線をまわり内地へ無事帰還したのでした。

私たちでさえこんなに嬉しいのですもの、内地の香りというものの乏しい、そして不自由な前線の塹壕《ざんごう》（野戦で敵の攻撃から身を隠すため、溝を掘りその土を前に積み上げたもの）の中などで、この慰問袋を手にされたら、兵隊さんたちはどんなに嬉しいだろうとその心をひしひしと身近に感じました。

十二時半頃に〔八幡《やわた》〕製鉄所の溶鉱炉《ようこうろ》が見えてきました。内地で見たニュース映画で、あの高い溶鉱炉の煙突の上で日章旗を振っていた兵隊さんがいたことを覚えています。あのとき写っていた兵隊さんは今頃はもうどこまで進んでいることでしょう。

十九時頃、憧れの、本当に、この船に乗って以来待ちこがれていた〔漢口〕が見えてきました。万歳。とても立派な都会です。

ああやっとこの生活ともお別れかと思ったら、今夜は荷物の陸揚げが出来ないし、二十時以後はジャンクの通行が禁止されているというので、今日は上陸出来ないと聞いてみんながっかりしました。よほど堅い寝床とは切っても切れない縁があるのかも知れません。

今夜はこの輸送船で過ごす最後の夜ですし、それに〔九江〕から乗船した、名誉の負傷が治って再び第一線に立たれるおめでたい兵隊さんも入っておられるので、例によって私たちの下手な慰問演芸を御覧に入れることになりました。

蚕棚になっている三階も四階も、甲板の板をとりはずしてしまって、上からのぞき込めるようにしてありました。上下左右あらゆるところ、黒い汗がぎらぎらと光った兵隊さんの顔です。この人たちの活気が船倉にこもるだけでも、内地の劇場のように冷房装置があったとしても、とても追いつかないでしょう。

私たちの着替え室というのが、また南京袋（穀類を入れるのに用いる麻糸を粗く織った大形の袋）を一杯つめ込んである倉庫の中で、朝から焼けついている四方の鉄板の熱がこもって、いやが上にも暑く、拭くのが間に合わないほどに汗が滲《し》み出して、その汗に着物がくっついてしまって、着るのにも脱ぐのにも、手足が自由に動かせないのです。

遠くで大砲の音がしました。これはもう演習とは違って実弾なので、いつ私たちの頭の上に落ちるか判らない、薄気味の悪さです。

低い台を並べただけの舞台に出ると、一番前の兵隊さんが大きな声で、

「やあ御苦労さま、今夜は夕食も食べずに頑張って、待っていました」とどなりました。

見る方も、踊る方も、暑いなどとは義理にも言えない、何かしっくりと底を流れる温かいものがただよっている舞台でした。

私たちが「郷土だより」を歌い出しましたら、一人のとても年をとった兵隊さんが、首を振り振り手にしている日の丸の扇で拍子をとっては、

「御苦労さま、有難う」

と繰り返して言いながら聞いていて下さいましたが、二節、三節と済み、四節目の、

「富士の白雪わさび漬、赤いみかんも送りたい」

という辺りまでくると、激しい感情をおさえつけることが出来なくなってしまったのか、黒い大きなゲンコツで泪《なみだ》をこすりこすりしていらっしゃるのです。もう見栄も飾りもなくかえって私たちが泣けてきそうになりました。

終わりに舞台にみんなが出て、見ている兵隊さんと共に愛国行進曲を歌いました。感激が高

まって涙声になってしまい、私たちの細い声は何千人かの兵隊さんの力強い歌声に消されてしまい、その合唱は周囲の鉄板にぴんぴんと響いて、ものすごいものでした。

「上陸以来初めて日本の女の人の踊りを見ました。懐かしいなあ」

「また前線で頼みますよ」

「きっと、もう一度戦線で一緒になれますね」

などの声を残して、兵隊さんは各部屋へ去って行きました。

どうか元気で活躍して下さいますよう祈ります。

自分たちの部屋へ帰っても、感激の後なのでなかなか眠られず、甲板へ出ると、今夜もいいお月様です。

第一線の郷土部隊の人たちも、きっと見ていることでしょう。

少しセンチメンタルになりそうです。

戦線にはせつない残酷な場面もありますが、また堂々たる強い美しい場面もあるのです。

夕刻、日射病になった兵隊さんが、私たちのいる船倉の隣の部屋へ連れてこられましたが、戦友の看護ぶりには、本当に涙が出そうです。一晩中寝もやらず、扇であおいであげたり、頭の手拭いを取り替えたり、私たちが「お手伝いしましょう」といっても、「いいです、いいです」と戦友のために、どうにかしてやらなければじっとしていられない、という様子で、みんながこそこそと働いて、一生懸命なのです。

病気の兵隊さんも「もういいから寝て下さい、有難う」といいながら、それは自分のためではなく、こうしてくれる戦友のためにも、早く治ろうとしている様子がまざまざ見られます。

私たちも落ちつけず、炊事場へ行って無理にお願いして、わずかばかりの水を頂いて来たり、ただ手を束《つか》ねてはいられない衝動にかられるのです。

甲板から右の方に見える一帯は、銀モールのような灯が輝いて、キラキラと揚子江に映っています。あれが明日上陸する〔漢口〕の街です。〔南京〕以来久しぶりで電灯という文明の光を見て、いっそう早く上陸したくなりました。

遠くにカタカタと機関銃の音が水の上を響き渡ります。

何となく無気味です。

この船も他の船も灯火管制が厳重にされて、江上はどちらを向いても黒一色、その重圧の底を縫って〔漢口〕の時計台から鐘の音が伝わってきました。

やさしい音、それは平和な優しい音なのです。

七月五日

暑い。全く気も狂いそうな暑さです。

本当に気が狂う兵隊さんもあるそうです。

食事をとりに上甲板へ出ると、相変わらずの雑踏《ざっとう》に手の出しようがなく、しばらくじっと見ていました。

いよいよ上陸です。

ランチが一つ下ろされて、それには全く見慣れない、国民服（太平洋戦争中に広く行なわれた軍服に似た男子の服装）に身をかためた、立派な髯《ひげ》を蓄えた人たちの一団が乗りました。

兵隊さんたちの表情には、非常に冷たいものがありました。

F県の人たちの慰問団なのだそうです。はじめは私たちのように船倉のあの蚕棚にいたのだそうですが、こんな所ではとても暮らせないというので、下士官室へ逃げ出していったのだそうです。

「何のために戦地へ来やがったのだ」

こんな言葉が私たちの耳にふれました。

私たちは思わずみんなで手を取り合って、

「ねえ、良かったわね、逃げ出さないで」「本当に良かったわ」「苦しかったけれど、良かったことね」

こんなことを言い合って、私たちはとうとうこの船倉での生活を踏み越え得たことを喜び合いました。

船長さんと輸送指令官殿などへ御挨拶に伺って、記念撮影をしました。

「あなたたちを将校室へ入れてあげようとは思ったけれど、内地の人に、兵隊はこれほどの苦しさにも耐えて、そして常に生命を捧《ささ》げているということを知ってもらいたいので、わざわざあんな所で済まなかったが、どうぞ帰られたら銃後の人たちにこのことをお伝え下さい。それでもよく不平も言わず、辛抱してくれましたね」

とおっしゃいました。随分苦しかったのですが、私たちは今までのことはすっかり忘れてしまい、みんな何でもなかったような顔をして、

「私たちは故国を出る時に覚悟は決めて来たのですから、どんなことをも恐れないだけの心構えはあるのです。そして内地の女性全部が、これ以上の気概は持っています」

とすっかり強がりを言ってしまいました。

「なかなか大したものですね」とにこにこしていらっしゃいました。

苦しかった、兵隊さんと私たちの四日間。

それでも二度と私を訪れてくれない尊い幾つかの体験。

本当に人生修業の第一課でした。今更に母というものの温かさ、偉大さを感じます。

これから、前線へ出れば、もっともっとつらいことがあるでしょうけれど、きっと元気で無

事にこの使命を充分に果たさせて頂きます。

青空高く、いくつもの爆音が聞こえて来ました。今日もあの華々しい重慶爆撃に行く飛行機でしょう。遠くでカタカタと機関銃の音が響いています。いよいよ戦争の持つ厳しい絶体というものの中に私たちもいつの間にやら入りこんで来ていました。

小さなランチ（軍艦に搭載してあるボート）で陸へ揚がる時、滔々《とうとう》と渦巻き流れる揚子江の強さに目を見はりました。時速七、八哩《マイル》（一マイルは約一・六〇九三キロメートル）とか聞きました。

私たちは〔漢口〕へ上陸しました。久々で踏む土、といってもたった四日間なのですが、随分長い間土を踏まなかったような気がして、存分にこの感触を楽しみました。人間というものはいつでも自分の現在さえ判らないもの。その環境の有難味《ありがたみ》というものが判らないのではないのかしら。例えばこうして土の上を存分に歩き回れる有難味なども。

〔兵站〕との連絡がうまくいっていないのか、トラックがなかなか迎えに来てくれません。私たちは自分たちの鞄の上に腰を下ろしました。ここには日蔭はありません。焼鳥ではなく、この太陽では人間の黒焦《くろこ》げが出来そうです。

私たちはこの二、三日ですっかり日にやけて、誰の顔もまるで海水浴へ行って来たようです。内地に居れば、オリーブ油だのクリームだのと可愛がっていた私たちの皮膚も、すっかり支那の色に染まりつつあります。

漢口上陸　じりじり焼かれてトラックを待つ

この街は、ちょうど横浜か神戸の港町のように何かエキゾチックな味です。白系露《ロシア》人の娘さんが通ります。その若い娘さんの顔の色は今まで真っ黒な兵隊さんの顔ばかり見てきた私たちには、これが同じ地球上の人間かしらと思われるほど美しく思え、みんなが自分たちの顔の色を見くらべてしまいました。

やっとトラックが来て、池田部隊本部へ行き、すぐ前の海陸ホテルに宿舎を頂きました。

捕虜

十三時に池田部隊長をお尋ねしました。

暑い所だけに伝染病も多く、また、それに対して防疫陣も完璧で、徹底されていました。玄関の左右には兵隊さんが頑張っていて、私たちの一人ずつに消毒液をかけてくれます。こうしてみると、自分たちが今いるところは随分危険地帯であることと思い知りました。

大〔尉〕殿の御案内で、バルコニーから漢口の市街を見せて頂きます。赤い同じような形の屋根が続いている街です。

「日本租界はすっかり焼けているのですが、ここは支那人が多く居たので、何ともなっていないのです」と教えて下さいます。

粗末な日本租界が壊されても、この街にこんな立派な建物が残り、結局その良い方が今では作戦上我が軍が使用しているのですから、私たちが見ても、何だか支那軍の間の抜けているのを感じます。

下を見ると、すぐ先の竹やらい（竹を斜めに粗く組んでつくった囲い）の結ってある所へ、トラックが幾台も上っていました。「あれは何ですか」とお尋ねすると、

「みんな捕虜をああして毎朝トラックに乗せて目的地へ連れてゆき、夕方には捕虜収容所へ帰るのです。いろいろの使役に使っているのですが、彼等も日本軍の温かさを感謝して非常に溌剌《はつらつ》と働いています」

と副官殿が教えて下さいました。

新しいトラックが次から次へと来ます。どれにも捕虜を満載しています。それは実に夥《おびただ》しい

数です。老人もいます。子供もいます。支那人のあらゆる顔がこの中にあります。これを見ているとと支那軍というものの編成が、女の私たちにも判るようです。こうして日本軍の温かい情を受けているから良いようなものの、今まで間違って指導を受けていた支那の軍隊は本当に可哀相《かわいそう》だと思います。

あの少年の両親は、今頃息子の帰りをどんなに待っているか知れないのです。

あの若い人の故郷には、或いは恋人がいるかも知れません。

あの老人には、妻もあり、子もあり、或いは更にまだ年老いた親もあるかも知れません。

みんな自分自分の生活というものを楽しんでいたのでしょうに、こんな善良な人たちを。と思うと蒋介石というものが、ひどく憎らしくなって来ました。

戦いには、どんな苦しいことがあっても、絶対に勝たなくてはいけない、と思いました。たとえ私たちのこの細い腕で重い銃を握ってでも、戦争には絶対に勝つ必要があります。

私たちの兵隊さんの一人でもが、ああした姿になったと仮定してごらんなさい。その前におそらくは光栄ある死を選ぶのに間違いはありませんが、思っただけでも身震いがします。

宿舎に帰っても、そこの玄関には昇汞水《しょうこうすい》（昇汞の水溶液。極めて有毒で消毒に用いる）が出してあり、いちいち手を洗います。〔靴の底を昇汞水のしみた雑巾でぬぐって部屋へ入ります。〕

こんなにしても伝染病の罹病《りびょう》者が非常に多いそうで、何と恐ろしい所なのでしょう。

璇宮飯店前にてトラックに乗り込む

でもここには、水があります。澄んだ水の出る水道が。ああ嬉しい。

先日からの汗になった洗濯物が一杯あるので、気合をかけてみんなのも一緒にして洗ってしまいました。石鹸が一つ無くなってしまうほどでした。

久々で気持ちの良い風呂に入り、疲れの一時に出たことも我慢して、髪も洗いました。

これでやっと揚子江の匂いが、いくらかとれた様子です。

私たちが暑い暑いと言っていると、ホテルの人たちは、「こんな涼しい漢口の夏は二十年振りぐらいです」と言います。

みんなが買物に出た後、一人お部屋でお留守番をしていますと、前の部隊本部の二階の一室から、長唄《ながうた》の静かな音律が聞こえて来ました。それも道成寺の曲なのです。

しばらくは遊神の境とでもいいますか、ぼんやりと聞き入ってしまいました。そしていつの間にやら、自分も一緒に唄っていると、済まないことですが、戦地へ来ていることさえ忘れてしまいました。

一体、どんなお方があのレコードをかけていらっしゃるのか知れませんが、こうした所で、こんなレコードが聞かれるのは思いもよらぬことなので、曲が済んだ後までもうっとりとしてしまいました。

兵隊さんというものは、思いがけない所に切ないまでの幽玄の境地に身をまかせ、風流を楽しんでいるのだと思いました。

さっき洗った髪がまだ汚れているような気がするので、もう一度洗い直しました。

女というものは厄介なものだと思います。

明日は七時半の汽車に乗せて頂くのだそうですが、また眠いことだと思います。

支那の母・日本の母

七月六日
インド人の巡査がインドへ避暑に帰る。
屋根の雀が黒焦げになって落ち、それを食べた猫が舌を焼いた。

こんな笑い話が最もらしく聞かされているここは、〔揚子江と漢水河の合流する三角地点で〇米《メートル》より低い所で、戦争をしている軍隊でさえ、十三時から十五時までは戦争を休止し、昼休みをとる申し合わせができているのだそうです。この一事でも暑さをわかって下さるでしょう。〕世界で二番目に暑い所だそうです。

気温の割に湿度が高いので蒸し暑く、まるでトルコ風呂（蒸風呂の一種）に入っているようで、水蒸気が街全体を包んでいるようです。

この中を重い装備を背中につけて兵隊さんが進軍してゆきます。汗。汗。汗。

漢口の街。私たちにはこんなに暑く、良い感じの持てないこの街も、前線にいる沢山の兵隊さんたちにとっては、それは第二の故郷のように愛されているところだそうです。

今日からは、更に不便な前線へ出るので、少しでも余分な荷物はここへ預けて、七時半にトラックに乗りました。

停車場といっても、ただちょっとプラットホームがあるだけで、憲兵（軍事警察）さんや兵隊さんの往来するのが見受けられます。

汽車とは名ばかりで、鉄製のトロッコ（土木工事の運搬に使う手押車）とでも言いたい軽鉄車というものに乗るのでした。兵隊さんが手伝って下さって荷物を運び上げ、ホッとすると狭くて腰を降ろす所とてありません。みんな投げ出されぬように、四辺の暑い鉄板にしがみついています。爆破された跡などから、あり合わせのレールを拾って修理したとかいうこのレールは、その継ぎ目に来ると車が軌道の外へ飛び出してしまいはせぬかと思われるほど、ガタンガタンと激しく揺れるのです。そのたびに私たちは振り落とされないようにしがみつく。荷物は倒れかかり、とても大変です。

頭上にはカンカンと大陸の真夏の陽が照りつけ、周囲の鉄板は焼けて、今にも倒れてしまいそうに、頭がジーンとしびれて来ます。

この私たちの乗っている列車の中は、大部分が兵隊さんと、そしてこれから前線へ出て行く腕章を巻いた新聞社の特派員の人です。

この辺は、まだ新しい戦跡です。一歩一歩敵と戦いながらここらあたりを前進し、やがて道路が修理され鉄道が敷かれたのです。それまでの沢山の兵隊さんの苦労を考えたならば、この足の置き場さえない列車でも、楽々と行かれるという形容を使わねばすまないでしょう。

車中で昼になりました。ホテルで作ってもらった握り飯を開きました。兵隊さんたちはと見れば、子供の頭ほどもあるのを分隊ごとに分けていましたが、どうしたのか二人分だけ足りなくなってしまった様子です。自分の分がない中隊長殿とその当番の兵隊さんは、じっと隅の方で他の兵隊さんたちのおいしそうに食べるのを、満足そうにみているのです。朝早く宿舎を出たのは私たちと同じですし、食糧やら弾薬の重いものを運んだりしていたのですから、空腹でないはずはありません。それをちっとも顔には現さず、不平そうな顔もしていません。かえって「まだ渡らない者はないか」「水筒の湯はあるか」などとやさしい心遣いをしていらっしゃるのを見ると、日本の軍隊の非常に崇高なものを、直接に見せつけられてしまい、その二人の顔が聖《ひじり》のように輝いてみえました。

私たちは自分たちの握り飯をお分けしようとしました。「あなたたちが足りなくなるといけない」とおっしゃって、どうしても取って下さらないのです。

「私たちは女なので、とてもこんなに沢山は食べられないのですから」と申し上げて、やっと半分をとって頂いて缶詰を開け、みんなで丸くなって、この激しい震動の車中で、心の華やかな昼の御飯が始められたのです。気持ち良く食事をすることは、どんな粗末なものでも非常に美味なものです。

「これで助かりました。〔広水《こうすい》〕で下車してから、大分行軍せんならんですからなあ」とおっしゃっていました。思わぬところで兵隊さんと不自由を分け合うことが出来たのは自分たちにとって嬉しいことでした。

それでも、まだ私たちに与えられたお昼のお握りは大きくて、かなり残ってしまいました。捨てるのはもったいなくそのまま片隅へ置いておきました。

ある駅で停車すると、そこの駅のプラットホームには支那人が群がり、子供までも「謝々《シェシェ》」

（ありがとう）と口々に叫びながらすさまじくわめいて、残飯《ざんぱん》を貰っているのです。残っている握り飯を思い出したので、おぼつかない支那語で、

「小孩子来々《シャオハイズライライ》、進上《しんじょう》、進上」（ぼくおいで、どうぞ）

と手を出すと、大きな男が集まって来てしまいます。こういう場合の人間の心として、少しでも弱いもの、気の毒な人へ与えたいものです。子供などはとても私のところまでは手が届かないので、遠くへ投げてやると、三人も四人もで泥だらけの散らばった飯粒を手籠《てかご》の中へ夢中で拾っています。

その群衆の一人に幼い男の子を負ぶった三十前後の女性がいました。背中の子供はまだ舌も良く回らないのに、片言まじりで「大人進上《ターレンしんじょう》、進上」と言っています。何ともいじらしくてたまらなくなって、わいわい言っている他の子供を制しながら、そのお母さんにそっとお握りを手渡してやりました。次の瞬間私はあまりのことに唖然《あぜん》としてしまいました。どれほど飢えているかは知りませんけれど、私の手から奪いとるようにしたお握りは、背中から手を差し出してもだえている幼児のことなどは全く感じないように、むしゃぶりついてたった二口か三口で自分が食べてしまいました。幼児は大きな声を立てて泣き出してしまい、あまりのことに私たちは全くあっけにとられて、腹も立たないくらいでした。

私たちのお母さんなら、自分がどんなに欲しいものであっても、まず子供に与えてからでな

くては手にさえされないのに。それほどまでに自分というものを、子供のためなら捨て切っても私たちを育てて下さったのに。

それが、当然なことと思っている中で、いや、それすら考えたことのない母親の偉大な愛の中で育って来た私は、この出来事には全く冷水《ひやみず》を浴びたように驚いてしまい、同じ東洋人の血こそ受けているが、私たちが何とも感じなかった我が国の親子の情愛こそ、全く日本の誇りだと思いました。そして、支那四千年来、国内の戦乱たえまなき中で農民たちがどんなに苦しみ、食べるということのためには何ものをも打ち捨てても悔いないほどになったか、という事実をまのあたりにし、礼節の国がここまで落ちた哀れさに言葉を失いました。

もう残っているお握りを誰にやる気もしません。

昔からよく、子供を籠に入れて売り歩くという話を聞かされたことがありましたが、やりかねないことだとすら思いました。日本の子供たちはどんなに仕合わせでしょう。今更のように、今この齢《とし》になっても、なお母に甘えることの出来る自分の幸せを感じました。

線路の両側は見渡す限りの稲田が続き、風に黄金の波がどこまでも拡がって、のどかな風景です。汽車からぼんやり見ている私の眼には、それが濃尾平野の秋を行く様で、支那と内地のけじめがなく、ぼんやりとしてしまいます。この辺は一年に二度の収穫があるとかで、盛夏の七月にもう稲の穂は地に着くばかりに実っていました。

同車している兵隊さんたちとは、もう親しく口をきき、その中には〔名古屋〕からの兵隊さんも沢山いました。

〔名古屋〕駅はもう出来あがりましたか、桜通りはどうですか、といろいろ聞かれます。まだ工事中に出征したのだというこの人たちが、駅前の美しい芝生、ロータリー、〔参宮〕急行等とすっかり近代的に整ったあの駅前に降り立ったら、どんなに喜ばれることでしょう。

「〔三〕師団進軍歌を知っていたら、教えて下さい」と言われます。

そして手帳へ私の読む歌の文句を一節ずつ書いています。

それが終わると、今度は節《ふし》を教えてあげることになりましたが、ピアノもオルガンもありません。ただゴットンゴットンという汽車のリズムが響くだけです。この音はちょうど二分の一拍子にリズムを区切ってゆくようです。

その中でカルキー（灰石）の袋に腰を下ろしながら、私が一節歌うと兵隊さんたちも後に続いて歌い出します。

霊峰富士の影清く、名城金鯱《きんこ》に光あり、ここ東海の鎮《しず》めなる、栄ある吾等の〔三〕師団
見よ戦国の昔より、群雄蹶起《ぐんゆうけっち》の血を受けて、破邪顕唯《はじゃけんゆい》の剣《つるぎ》とぐ、勇猛吾等の〔三〕師団
明治この方大陸の、北に南に幾度ぞ、建てし勲は燦《さん》として、輝く吾等の〔三〕師団

熱田の宮の加護うけて、栄光常にわれにあり、起て必勝の信念に、進め吾等の〔三〕師団
国に仇《あだ》なす醜草《しゅうそう》も、草薙《くさなぎ》の故事それの如、仰げ軍旗の征くところ、無敵吾等の〔三〕師団
東洋平和建設の、使命断乎と果《はた》さなん、征け堂々の進軍に、歌え吾等の〔三〕師団

私の後について一緒に歌い出す兵隊さんが次第に多くなり、歌の声はだんだん調子にのって大きくなってゆきました。ただ暑く、何もすることのない車中では、この歌をおぼえることが最大の仕事でもあるかのように、一生懸命です。

私たちが歌いやめて、兵隊さんたちだけで歌い出すと、まるで調子の外れた変な節になってしまいます。それにつりこまれて、教える方の私たちまでが妙な節になってしまったりして、どっと笑い出したりします。

何度も何度も、ゴットン、ゴットンという汽車の走る音のリズムを伴奏に、繰り返し繰り返し歌いました。歌声がますます大きくなり、感激が高潮に達して、両方とも非常に真剣です。同車した新聞社の人たちは、あっけにとられたような顔で私たちを見ていました。両親とその娘らしい外国人までが嬉しそうにこちらを向いて微笑みを送っています。

この兵隊さんたちは、習い覚えたこの歌を高らかに歌いながら行軍して下さることと思いますが、そうだったら本当に嬉しいと思いました。

沿線の兵隊さんに慰問品をわたし軽鉄車にて広水へ

どうかして他の慰問団では出来ないほどの至純な心で、兵隊さん方の心の奥底まで慰めてあげたい。それのみ一途に思い続けます。

続いていた稲田が、いつしかゆるやかな丘陵に変わりました。山峡の底を汽車が行くと、右に清らかな流れが一条延々として山裾に沿って流れていました。

私たちは広水でこの列車を降りました。広水はちょっとした街であったらしいのですが、ここも相変わらず戦いの跡の生々しい破壊された街で、弾丸の穴、倒壊した家屋等が続いています。

前線への連絡自動車の出るところまで、銘々リュックサックを背負い、荷物を下げて歩いて行きますと、その辺の家屋が宿舎になっているらしく、沢山の兵隊さんが時ならぬ女性の声を聞きつけて、さも珍しい物でも見るようにみんな出ていらして、路も通れないくらいに人垣を作ってしまい、

「女子青年団の慰問団ですか」

「前線をすませたら、ここへもきっと寄って下さい」

などと言われました。

煉瓦のごろごろした、足もとの危ない路をやっと自動車の出る広場まで行って、荷物に腰を下ろして休んでいると、ふと、この辺に駐屯しているのが高野部隊であることを聞きました。本当でしょうか。まだ戦線へ一歩足を踏み込んだばかりなのに、もうこの部隊に会えていいのでしょうか。

この部隊こそ元の石井部隊で、おじさんと呼んで可愛がってもらったその人が部隊長だった部隊なのです。

昔の人が言うように、死んだ人の魂が引き合わせてくれたのかも知れません。国を出る時から肌身離さず所持していた戦死を知らせる壮烈な新聞の切り抜きと、写真を入れたお守り袋を洋服の上から、しっかり抱きしめました。私がもし一言兵隊さんに部隊の名をお伺いしなかったらこのまま何も知らずに行き過ぎてしまったでしょう。

高野部隊がここに居る、ということを知って、団長も、お友達のみんなも、「岩佐さん良かったわね」と喜んでくれました。

予定を遅らせることはできませんので、自動車が来るまで、というお約束で私は本部へ駆け込んで行きました。

「喜代子よく来た」

という、あの強い、しかし温かみのこもった言葉をもう聞くことが出来ないのがひどく物足りない感じです。

これから討伐《とうばつ》に行くとかで、どの兵隊さんを見てもみんな凄《すご》いほどに緊張していました。

その皆さんの元気さを見ると、なおさらに「なぜ小金のおじさまだけ死んでしまった」と口惜しくてたまらなくなって来ます。

もし、生きていて下さって、こうして、ここで私がお目にかかることが出来たら、どんなにか誉めても下さるでしょうし、どんなにか喜んでも下さるでしょうに。満州事変で出征中は、まだ小さかった私の弟へ多忙な寸暇を割いては、あちらの風俗やら食べ物のことなど、「高粱《こうりゃん》(中国産のモロコシ)とはこんなものです」と面白い絵を入れて知らせて下さったり、佳木斯《ジャムス》(黒龍江省東部の中心都市)にいた頃は付近の山野に咲く「きんぽうげ」に似た花を討伐の時などに折りとってきては押し花にして送って下さったりした、やさしかったおじさまのことが、一瞬に次から次へと頭の中で渦巻いてたまらなくなってしまいます。

ああおじさま。

おじさまの部隊。

これまで耐えていたものが、とうとう押さえ切れなくなりました。頭の中が空になったように身も世もなく懐かしさとも悲しさともつかず、とうとう泣き出してしまいました。泣いていても、まだおじさまがどこかこの付近にいて、私の背中に手をやってなぐさめてくださるような幻が私の頭にあります。

戦死したおじさまに代わって、指揮を取っていらっしゃる柴本中尉殿にお目にかかりました。

おじさまより少し背の高い、痩《や》せたお方でした。童顔とでもいいたい温かさの中に、りりしさを持った中尉殿でした。

いわば第二のおじさまであるこの中尉殿に、おじの印象をそのままに延長させていたので、もしも変な人で、私のそのイメージを打ちこわされるのではないかと、お目にかかるのが恐ろしいような気がしていましたが、よかったよかったと安心し、すっかり満たされてしまいました。

優しく私をなぐさめて下さると、どうにもたまらない自分を感じました。

遺骨安置所には、もうおじさまの骨はありませんでした。

「あの国旗ですよ」

中尉殿に指さされて見ると、名誉の戦死をとげられた尊い御霊《みたま》の眠る支那家屋の美しく清められた部屋の正面に、見覚えのある日章旗がかけられてありました。

私は自分の行為の光栄に身がかたく引きしまって行きました。

この旗は、私がおじさまへ送ったいくつかの慰問袋の、最後のものへ入れたものでした。おじさまが戦死をとげて後、この慰問袋は届けられたのです。その報《しら》せを北林少佐殿から頂いた時に、どうか中を開いて、霊前に供えられるものはお供えして下さい、とお願いしたものでした。その時の国旗が、今こうして多くの英霊《えいれい》（戦死者の霊の尊称）の眠る室の壁に、その輝く勲功の表徴のようにかけられていることは、何という光栄でしょうか。

「戦死された部隊長殿の意義深い遺品ですから、この部隊のあるかぎり、討伐に行く時はあの日章旗を在りし日の部隊長殿と思って必ず先頭に押し立てて進み、駐屯地へ帰ると、この部屋に飾っておきます」

とおっしゃいました。

前線へ行く自動車の時間もせまっていますので、気のせくままに、おじさまの戦死の時の様子をお伺いしました。

今度の中支班へ入れて頂くようにお願いしたことも、おじさまが血を流し、土と変わった戦場というものが、いつの間にやら何か非常に身近に感じていましたので、こうした機会に、実際におじさまの最期を見とどけて下さった人々からその時の様子をお伺いすることが、或いは出来るのではないか、というある期待が心の隅にあったからでした。それにしては余りに早くこの幸運にめぐり合い、余りにわずかの時間でした。

他の少尉殿や、兵隊さんたちも私がたびたび手紙や慰問袋を送ったりしたので、名前まで覚えていて下さって、おじさまもそれを開くときには、私のことを語りながら開封したそうなので、「あなたがそうだったのですか」とまるで初めて会う人ではないようにうちとけていろいろと話して下さいました。こんなに皆さんで私をもてなして下さることは、とりもなおさず、おじさまの遺徳《いとく》であろうと思いました。

柴本中尉殿は、

「いい部隊長殿であったことは、こうして今もって部下が、暇さえあれば思い出して懐かしんでいる一事でもお判りでしょう。兵隊にとって部隊長殿はちょうど慈父《じふ》の如きものです。軍人として誠に立派な死であられたことは、殊勲《しゅくん》甲の感状を賜ったことでもお判りでしょう。あなたが日本にお帰りになる頃には、もう郷里へ部隊長殿の御遺骨はお着きになっておられることでしょうから、どうぞ御霊前に、石井部隊は中支前線で一兵に至るまで、相変わらずの元気でお国のために働いていることを御報告下さい」

とおっしゃいました。まだいつまでもお話をしていたくてたまらないのですが、時間がすぐ

広水にて柴本中尉と

たってしまって、これが内地からの一つの希望であったのに、こんなに簡単に、ここを去らねばならないことが残念でなりません。

私が前線からの帰りにまたここを通る頃は、討伐も終わっているだろう、とおっしゃるので、またその時に今度こそゆっくりとお話を伺うお約束をしました。（そして、帰り路に私は大きな期待を持って、再びこの地へ参りましたが、その時は作戦の都合で、この部隊は、ここを引き上げてどこへか出発された後でした。）

多くの部下の方から、ああして慕われていることは幸いだと思いました。そして自分もほっとしたというよりも、よかった、よかった、とひしひしとおじさまの霊に合掌することが出来るようになりました。

自動車が来ました。それは鹵獲品《ろかくひん》（敵から奪い取った軍用品）だとかいうことで、〔フォードの〕塗りも目茶目茶にはげ、気味の悪いほどに弾痕があり、運転台のガラスには大きなひびが入っていて、この自動車がよく動くものかな、とさえ思いました。〔それなのに兵隊はフォードをぜひほしいと言います。トヨタの車では大別山を越すことができないのです。〕

路は細くくねくねとまがって、平時であればこの道に自動車を走らせることは、とても危険でたまらないに違いありません。

そこを、兵隊さんは微笑みさえも湛《たた》え、物馴れた様子で余裕しゃくしゃくと運転して行きます。柴本中尉殿その他高野部隊の皆さんも名残《なご》りを惜しんで送って下さいました。私たちは自動車の上から手を振ったりハンカチーフを振ったりしました。小さくなってもサーベルがキラキラと光っていました。

支那の農家が見えなくなると、ただ緑の立木と雑草と、それにまじって名も知らぬ草花がちらりほらりと咲いていて、それはちょうど秋の信濃路を思わせる街道でした。だんだん前線へ行っているはずが、内地へ近づいて行くような気持ちになりました。路の曲がり角で撫子《なでしこ》らしい桃色の花が路端《みちばた》にたった一輪、踏みつけられもせずに咲いていていました。

こんなことを書くと、随分のんびりした旅のようですが、何しろ使い古した自動車で田舎道を走らせているのですから、その揺れることは体の組織が目茶目茶になってしまいそうです。

水筒から水を飲もうとしても、水筒の口のところに口がいかなくて、顔中を水だらけにしてしまいました。

この路で行軍中の沢山の兵隊さんに会いました。それは延々と続いて自動車がどこまで走ってもつきないほどの長い列でした。たくましく大陸焼けをした沢山の顔、顔、顔。そして相変わらず太陽はぎらぎらと照りつけている中を、ただ黙々と歩み続けていました。その中には苦しそうに戦友の肩にすがって歩いている人もいました。銃を戦友の分と共に二つ持っている人もいました。お互いを愛し合い、助け合い、何千何万の心がぴったりと一つになって、一つの目的に向かって、ひたむきに進んでゆく尊い高いものがありました。

路が乾き切っているので、自動車が走ると煙幕のように砂塵が舞い立って、この兵隊さんたちにふりかかりました。私たちは小さくなって自動車の中に身の置きどころがない気持ちです。

私たちの後から乗用自動車が二台、素晴らしい速さで私たちの自動車を追いぬいて去りました。今度は私たちがものすごいほこりを浴びました。路が見えず危険なので、しばらくの間停車させて、砂塵《さじん》のおさまるのを待ったほどでした。

内地でさえ歩いている時に、かたわらから自動車のほこりをあびせられるのは、たまらない不快なものですのに、この乾き切った支那の路の砂塵を兵隊さんに浴びせることは、お気の毒でたまりませんでした。

「兵隊さん、ごめんなさい」

「兵隊さん、すみません」

私たちは大声にどなりながら行きます。

「畜生、もっと静かに通れ」

「歩いている者を考えろ」

帽子から日除けの布をたらして、黙々と歩いていた兵隊さんから、どなり返されます。

どうにも困ってしまいました。

しかし、運転台の兵隊さんも、顔中を汗にしながら、やはり黙々と運転を続けてゆきます。

私たちはただはらはらとするばかりでした。

汗をかきました。それに砂塵がついて困ります。また汗が出る。そこへまた、砂塵がついて乾いてゆく。

自動車の上の私たちが十五時半にやっと〔中国の軽井沢といわれる〕応山へついた時は土人形のようになっていました。

私たちが夢に描いている戦場らしい戦場というもの、絵画や映画に描かれている焼野原のような戦場、この世の終わりを思わせるような、もっと突きつめた何かがあるように考えていた戦場というものに対して、これまでは余りに静かで美しすぎました。自然の風景に対して、人間の力というものが、いかに弱いかということを見せられるように、どこも緑が美しく飾り立てていました。

襄東《じょうとう》作戦直後の応山なら、いかにも生々しい戦跡があるのだろうと考えていた私は、四囲を山にかこまれて、もの静かに幾棟かの兵舎が並んでいるだけで、自分の期待に反して、何だか物足りないような気持ちさえ覚えたのでした。

戦争というものは、大きな自然の極めて小さな一片を、一瞬時に過ぎ去る嵐だと思いました。人間の力がいかにも小さく感じられました。

激しい山岳戦が展開され、ナポレオンのアルプス越えにも勝ると言われたほどの大別山系の峰々も、今は静かに秋のように澄みきった大空にその峻険《しゅんけん》さをほこって並び立ち、私たちのまわりをぐるりとかこんでいました。

今日のこの応山における露天演芸会場ほど、豪華で美しい劇場は、世界中でまたとないと思います。

それは部隊本部前広場なのですが、青天井に雄大な山々を背景にして、この限りなく美しい悠久たる自然の中に数千人の人を収容することが出来るのです。

この舞台は私たちが来るということが伝わってから、兵隊さんたちが代わり合って作り上げてくれたもので、内地のお祭りの時の屋台のようです。所作舞台（歌舞伎で所作事などを演じる時、足拍子のよく響くように厚さ十五センチほどの空洞の敷板

大別山を背景に郷土の歌を大合唱

をおいた舞台）の敷板の代わりには、さまざまの色彩をもった軍用毛布が一杯に敷いてあります。

そして更に豪華なことは、無線電信隊のお骨折りで、マイクロフォンが設備され、レコードもスピーカーを通して大きく演奏することが出来るのです。

至れり尽くせり、どこからどこまでも、全く愛情の満ちあふれた設備です。

舞台を中心として扇形にひろがった兵隊さんは、どこまでも続いてうしろの方は顔も判りません。よくこれだけの兵隊さんがいるものです。びっくりするほどの兵隊さんの数です。そしてこれが私たちがはるばる訪ねて来た懐かしい〔郷土〕の人たちばかりです。

〔郷土〕部隊。私たちと同じに〔木曽川の水を飲ん〕で育った人たち。この沢山の兵隊さんは応山にいる人たちばかりではありません。私たちが今日ここへ来るということを聞いて、この応山を中心として散在する前線に行っている兵隊さんも、手のすいた人たちははるばる何里かの山道を歩き、お弁当を持って、私たちの演芸を見に来て下さったのだそうです。

更衣室から舞台までは約半町（一町は六〇間。約一〇九メートル）も歩きます。舞台の下といわず、観客席といわず、いざ敵襲という時にはいつでも戦場とかわるように、縦横に壕が彫られているのが見えます。

この暑い太陽の下、土は乾きに乾いたその上で、もうかれこれ一時間も兵隊さんは私たちを待っていて下さったのだそうです。

私たちは日程を急いで更にもっと最前線まで行くのですけれど、ここで許されるかぎり皆さんにとって懐かしい内地の香りを、お伝え致しましょう。このささやかな慰問団を、皆さんはこんなにまでもして待っていてくださったのですから。一体どうすれば、どんなにすれば、戦場の御苦労を感謝し、その御恩に御礼することが出来るのでしょうか。

私たちは舞台の上に一列に並びました。大波のような拍手でした。ぞくっとするような何かに打たれてしびれるような感じが体を駆けめぐります。

やがて団長の挨拶がはじまります。これまで何度か聞いた言葉ですが、今日ははじめて聞くような新鮮さです。長谷部先生からは、名古屋市長から兵隊さんに宛てたメッセージが高々とした声で読み上げられました。

沢山の兵隊さんは、しいんと静まって聞いておられました。私たちは恐縮の極みでした。

演芸が始められました。みんな素人の芸なのですが、胸にはひとりでに、芸の上手下手を見せるのではない、ただ真心だ、というような信念が燃えていました。不思議な自信でした。また、見ている兵隊さんの表情も実に真剣でした。内地であったら問題にもならないこの素人の演芸を、まるで大歌舞伎の舞台を見るような、或いはもっと鋭い表情が、舞台の一動作ごとに動いていくのが見られました。

舞台と観客とが、誠心という一点において、これほど美しく呼吸がぴったり合った演芸会というものは、他ではおそらく見ることが出来ないでしょう。

やがて私の番になりました。汚れきった戦線の兵隊さんの服装からみると、むしろ不思議な感じすらする派手な藤娘の衣裳をつけて舞台に立ちました。汗で着物がくっついて手も足も自由になりません。拍手。そしてただ全く感激のうちに酔った激しい衝動の中で踊り続けました。このまま倒れたらお母さんはきっとほめて下さる、とそんなとんでもないことが頭に浮かんだりしました。

誰の演芸が済んでも、そのたびに大変な拍手です。次第に拍手に口笛だの、どなる声だのがまじって来ました。

こうして予定の演芸を一通り済ませましたが、なお、拍手が止まず、追加の二、三を加えました。いつまでも、兵隊さんの慰問のために続けることが出来たら、私たちも全く嬉しいのですが、今日一日、漢口から広水、そして応山と、この長い道を激しい日照りの中を、ここまで来ることだけでも、私たちの体ではやっとだったのですから、そう限りなく続けることも出来ません。

最後に天にも響けと、この多人数の兵隊さんと愛国行進曲の大合唱をしました。私たちはもうかすれるような声でした。

兵隊さんが、有難う、ありがとう、と後を振り振り返り振り返り立ち去った後、何だか一瞬魂が抜けたような淋しさでぼんやり立ちつくしました。この兵隊さんたちにまた、お逢いすることが出来るでしょうか。どうかお元気で頼みます。いつも同じ言葉。ただそれだけです。

二十二時になって、二号宿舎を私たちのしばらくの宿舎と決めて下さいました。二棟の日本家屋で青竹の生け垣さえめぐらされ、細い柳格子《やなぎごうし》の戸を開ける時は何だか、

「ただいま」

と言って日本の家に帰ったような感じがするほどです。

宿舎の山中、池山上等兵のお心尽くしのお風呂に入り、まださっきの興奮のさめきらない私たちはとてもこのまま眠られもせず、誰が先ということもなく裏の暗い草むらの上に大勢で円く輪を作って座りました。

すぐお隣の建築隊の兵隊さんも加わって、期せずして戦線と銃後の大勢の座談会になってし

まいました。

すると、その中で私を知っているという兵隊さんがいるのです。懐中電灯でのぞいてみたら本当に、小学校で私より一級上だった小笠原さんという人でした。すぐお隣の町内に住みながら、小学校を卒業後十年近くも逢ったことはないのですが、こんなに大勢の兵隊さんのいる中で、ぽっかり逢うということは、奇蹟です。懐かしい幼い頃の思い出がよみがえって、小学校の先生のこと、御近所のことなどをいくら話してもつきるのを忘れているようです。

こうした座談会に時を過ごしているうちに、大陸の夜は冷えびえとして、あたりの草も私たちのブラウスも露でしっとりぬれてしまって、昼間の暑さを忘れたように、肌寒くさえなって来ました。〔何の光もない真っ暗な空を見上げると、天の川がくっきりと中天にかかってきらめき、その美しさは何にもたとえようがありません。〕

右側の丘からお月様がのぼり始めました。戦場の月は今夜も神々《こうごう》しいまで冴えていました。家の人たちもきっと同じ月を眺めているでしょう。

蛍が草むらの中を曳光弾《えいこうだん》（弾道がわかるように弾底から光を出す弾丸）のように飛んでいました。

小笠原さんは、歩哨《ほしょう》（兵営・陣地の警戒にあたる兵隊）の交代だと言って、

「今夜は安心して寝なさいよ、皆して回りますから」

と暗がりの中に消えて行きました。

明日は七夕です。

みんな宿舎に入って、床に入りほっとした気持ちになると、今度は歩哨の靴の音が耳につきました。遠ざかったと思うとまた近づいて来ました。

なかなか寝つかれませんでした。

七月七日

昨日の一日がただ激しい昂奮《こうふん》と感激の連続で、体に無理をしすぎたせいか、いくら戦線へ来て気は張っているといっても、今日は体がだるくて我慢していようとしても出来ません。体温計を見れば熱もあるのでしょうが、それさえ億劫《おっくう》なほどです。

こんなことでは、と歯を食いしばって起きました。

みんなもつらそうです。

今日は七月七日で第二回目の支那事変記念日です。この日をこの場所で迎えることは、感慨無量です。

〔司令部〕へ御挨拶に伺い、それから応山県自治委員会主催の事変記念祭の式場へまいりました。

宣撫《せんぶ》（占領地区の住民に本国の意図を理解させて人心を安定させること）班長が、

「今までこちらに来ている女性は、支那の婦人とは座談会一つすることが出来なかったのですが、今日は幸いあなたたちが来られたので、忙しいことは知っていましたが無理に出席して頂くことにしました。ちっとも遠慮しないで、日本女性のために堂々たるところを見せて下さい」とおっしゃいますと、私たちのような者が全日本女性を代表しているのかと思うと、赤面の至りです。

この記念祭はこの地の自治委員会が自発的に行なうのだそうで、無統制な大衆を、ここまでに指導なさった宣撫班の、並々ならぬ御苦労を思うと、この催しが盛んであればあるほど、涙ぐましい気がします。

会長は若い時、京都大学に学んだという韓さんという温和な大人《たいじん》（徳の高い人）型の人でした。

ここでは、興亜《こうあ》婦人会というのが組織されていて、その会長の劉さんという人にも会いました。白い支那服を身にまとい新生活運動にきたえられた、白粉気のない、インテリ婦人でした。

会場には、戦争が済んだ後にこの地に再び立ちもどって来た住民たちやら、支那の小学生、皇協団（日本軍に協力的な団体）、国防婦人会（軍の指導で内地を中心に組織された軍国主義的婦人団体）の人たちが一杯につめかけて来ていました。非常な盛会です。一団ずつに分かれて各自が旗を押し立てて整列していました。その旗にはこんな言葉が書かれてありました。

撲滅残暴共党。提快結成。振興明朗亜州。日華満防共集団。慶祝七七興亜記念。
系死不悟的抗日。

まだ沢山ありました。

会長の韓さんの後に続いて、劉さんが壇上のマイクロフォンの前に立って、短い断髪に内地と同じような婦人会のタスキを掛けて、一言ずつに火をはくように熱のこもった演説をされました。

私たちの中からは、長谷部先生が挨拶をされました。支那の人たちは、この地に見慣れない若い日本女性の集団が現れたので、驚いているふうでした。

やがて行進に移って、鐘《かね》や銅鑼《ドラ》（紐で下げてバチで鳴らす金属製打楽器）や四竹《よつだけ》（竹を割って作った幅三センチ長さ十五センチくらいの二枚の板を叩いて音を出す楽器）の音につれて、一組ずつ踊りながら龍のようなものをひきずったり、彩船があったり、全くめずらしい支那のお祭りの風俗を見ることができました。

その間にまじって小学生の愛国行進曲が聞こえて来ました。日本語の発音も上手に、兵隊さんの力強いゲンコツのタクトに、一句一句見事に歌って行きました。

〔この人たちのこれからの教育のしかたひとつで、どんなにでもなっていくと思うと、戦闘ももちろん大切でしょうが、その後に来るものが一層難しい問題だと思いました。どうぞ良い子

彩船もくりだし賑やかな支那のお祭り風俗

になってください。」

十一時半より部隊長殿から食事のお招きを受けていますので、部隊本部へ伺いますと、藤田部隊長殿、鈴木団長、長谷部先生、〔北野副〕官殿と並ばれ私たちはもう一つのテーブルにつきました。こんな方たちと御一緒に食事が出来ることは、思いもかけぬ幸福です。

藤田部隊長をはじめ皆さまが、寄せ書きをして下さることになりました。

宮城大〔佐〕殿がこの窓から見える城外風景をペン画で描いて下さいました。

諏訪部中〔佐〕殿が「職場を語る勇士や郭公《ほととぎす》」という俳句を下さいました。本当に良い記念品です。

食後にはサイダーやら、番茶やらを御馳走になりました。

「これから前線へ行く人たちなのだから、あまりいろいろと飲みすぎてはいけませんよ、本当に飲み物には注意しなくてはいけない」

一軍を縦横に指揮する部隊長がやさしく私たちの健康を心配して下さいます。部隊長とお呼びするにはあまりにもやさしく、故郷の父にでも会っている時のようでした。

〔北野〕副官殿は御一緒に写真をとって下さいました。

「いつも他人ばかり写して、自分はちっとも撮らないから、僕のカメラでも一つとってくれ」

と天野さんに写真機をお渡しになりました。この全く打ちとけたおもてなしに、私たちはすっかり甘えて本当に有難く感じたのでした。

野戦病院伝染病棟

午後、津田部隊訪問。私たちの自動車が停まったところは、幾棟もの支那家屋をそのまま病棟にしてあるちょうど前らしく、私たちのトラックのエンジンの音に、どの窓からものぞいている兵隊さんが、みんな白衣を着ていられるので驚きました。

あたりはにぎやかな雀の囀《さえず》りです。日干し煉瓦建ての支那家屋はその煉瓦の割れ目が良き雀の住み家なのでした。

ここでも、小学校の同級生であった加藤さんに会いました。私たちを見ると、私たちの内地出発の記事が掲載されている新聞を手にして遠くから駆け出して来てくれました。〔学生時代は大きい声で話すこともなかった人を〕戦場というものは、どうしてこうまで見違えるほど、たくましくしていくものでしょう。

皆さんとお話したり、内地への御伝言をたのまれたりした後で、さっきの病棟をお見舞いしました。

支那家屋特有の窓の小さい真っ暗な部屋でした。手でさわればざらざらと砂が落ちそうなよごれた土の壁には、雑誌の口絵が貼りつけられたり、ビール瓶に野の草花がさしてあったり、看護兵の人たちと病気で寝ている兵隊さんとの協力によって、少しでもこの暗い空気を明るくしようとする努力が感じられました。

床は板敷きでベットはなく、直に敷かれた薄い布団を二列にきちんと並べて沢山の病気の兵隊さんたちは寝ていました。そして、その数があまりにも多いのに驚きました。この病棟は、内地で想像していたよりも、確かに暗いものでした。

南京でもそうでしたが、前線における野戦病院こそ、私たちがお訪ねせねばならぬ所であることを痛感しました。

私たちの乗っていたトラックに宿舎まで帰ってもらい、祖国の女子青年団の団員からお預かりしてきた慰問品を取りよせてもらいました。粗末な品ではありますが、お金で買った品は一つもありません。内地の女性の細かい心で、戦線の兵隊さんにどうしたら喜んで頂けるだろうかと、真心をこめて、自分の手で作り上げた手芸の品々ばかりです。この誇りがあるからこそ、この粗末な品々でも輝かしい気持ちで一つずつ枕元へお配りすることが出来るのです。都会の団員が作ったのでしょうか、美しい造花のスミレの花束もありました。海辺に近い団員が作ったのか、桜貝の細工もありました。またこれは田舎の団員からでしょうか、郷土色豊かな人形もありました。

長く寝ていらっしゃるのでしょう、細く痩せたその人は、微笑みながら、

「妹がはるばる来てくれたようです」

と言いました。みんな短い言葉ながら、お見舞いの言葉とお礼の言葉を一人ずつにかけて進みました。それはあらゆる感激を一言につめ込んだ、極めて尊い対話なのでした。涙が両眼に浮かんでしまって、何も言えないこともありました。人間が戦場ではじめてふれ合うことの出来る、清く純粋な最も人間的な心がお互いに満ちあふれていました。

このことを書きつくすには、余りに私の筆は幼いものです。

津田部隊長殿は、病棟の片隅に立って、満足げにこの様子をじっと見ておられました。

最後に伝染病の病棟が残されました。軍医殿は、

「ここだけは危険だから、おやめなさい。随分ひどい患者もいるのだから」

と言われます。しかし、私たちはこれまでの兵隊さんが喜んで下さった様子から考えて、それならばなおさらに、とせがみました。そして絶対に注意を守るという約束付きで、この病棟に足を踏み入れました。

強い消毒薬の臭いが満ち、どの病棟よりも一層胸をつかれる思いです。さっきあんなに私たちがここへ来ることを主張した反面には、何だか伝染が恐ろしいように思えてびくびくしていた気持ちがないでもなかったのですが、この部屋へ入ると、

「倒れても良いから、出来るだけ……」

そんな強い積極性に代わって、いつか伝染するということを忘れ勝ちでした。

ここでも、お一人ずつの枕元へ慰問品をお贈りしました。どなたもが涙を一杯にためて喜んで下さいました。団員たちの心は実に大きく報いられたのでした。

長いお話は許されませんでした。それでも、

「この親切だけでも、きっと治ってみせます」というような対話が、沢山に交わされました。

「あまり近くへ来ないで下さい。伝染させたらすまんですから」

私は何とお返事したら良いか判らず、すぐ近くまで無心のうちに進んでしまって、いつ取り

替えたかと思われる生温かい額の手拭いを冷たい水で絞り代え、だまってそっと額にのせました。団員の誰を見ても、感激してしまって、さっき軍医殿から与えられた注意をすっかり忘れていました。女の感情では、とてもたまらないものでした。その間に立って、軍医殿が私たちの身を気づかって下さって、ただはらはらと駆けまわって注意をしていらっしゃるのが見えました。

御国のために戦線に立ち、そして運悪くこうして悪疫に苦しめられている兵隊さんは、銃を取って戦闘の最中にある姿も同じだと思いました。どうか一日も早く再びお元気になって、戦線に立って下さい。

空いている布団は、この病魔を見事に征服して、再びたくましく戦闘を続ける光栄を得た人がいたのか、或いはまた、不幸病に倒れた人がいたのか、人生の非常に大きな分岐点を暗示して、無気味なものがありました。

茶　毘

去りがたい気持ちで部屋の外に出ると、私たちは噴霧器で、頭から消毒薬をさんざんに浴びせかけられました。そして軍医殿は笑いながら、私たちを叱りました。幸いなことには後になっても、誰にも伝染はしていませんでした。

本隊の方へ帰りかけると、病棟のじきそばに煉瓦のこわれを積み上げたところがありました。

「ここの病棟で不幸にも死んだ場合には、あそこで荼毘《だび》（火葬）にします」

と教えて下さいました。

それは兵舎の都合で、病棟からも大して離れていない場所でした。戦線では止むを得ないことです。昼は戦友の燃える煙、夜は戦友を焼く炎が、あの病棟の窓からも見えるのでした。病室から見ているその時の兵隊さんの心にはたまらないものがあるでしょう。

帰りのトラックの上では誰も言葉少なでした。

宿舎に帰ると、〔演芸場〕から、兵隊が待っているから早く、というお使いが来ていました。みんなはもう、すっかり疲れているのでしたが宿舎にも上がらず、すぐ、その足でまた昨日の露天演芸会場へ行くことになりました。

昨日と同じに沢山の兵隊さんでした。

そしてやはり昨日と同じに激しい太陽の下で、私たちを待っていて下さるのです。

これは昨日軍務に就いていた人たちで、一度見た兵隊さんと交代で、今日もまた、はるばる前線から私たちの貧しい芸に、一日の慰安を期待されてお集まりになった人たちなのです。

この兵隊さんの中に、片岡部隊のお方も来ていらっしゃるというので、もしやと思って知人の斎藤中尉殿がいらっしゃらないかしら、とお伺いすると、すぐ出て来て下さいました。またしても会うべき人に逢えました。ちょっとお話しをしていると、すぐ私が舞台に上がる番になったので、お友達の坂野さんから頼まれて来た、小川軍曹殿へのお便りをお言づけ願いました。帰ってから、あまりにみんなが疲れてしまっているので、一日休養させて頂いたらどうか、という話が持ち上がりました。

私たちは、本当に兵隊さんと同じ苦労をして、どんなにしても私たちの使命を果たしたいのですが、南京出発以来、いきなり戦場生活に飛び込んでしまったことは、私たちの体としては誠に無理なことでした。

いくら気ばかり勝っても、どうにもならない体でした。

七月八日

久しぶりに楽々と寝ました。兵隊さんはこんなにゆっくりとした気持ちで眠ることはないでしょうに、ともったいない気がしますが、病気にでもなってはなおさらに御迷惑をかけることになるのですから、こんな私たちだけのわがままも許して下さい。

朝食をぬいて、十一時半頃に炊事の兵隊さんたちの、お心づくしのうどんを頂きました。格別好物の私は、久々でおいしいうどんを頂けて嬉しくてたまりませんでした。

少したったら、服部さんが「今のうどん食べた」といって来ました。

「あんたも、一緒に食べたじゃないの」と言いましたら、「良い所を見せてあげるから、いらっしゃい」と無理に私を引っぱって行きます。

「ここの所を見てごらんなさい」

と言いますので、ふとのぞいてみると、洗面器におそうめんが一杯につけてありました。

「今、大変なところを見つけちゃったのよ。これねえ、昨夜私たちが洗濯に使ったのじゃあない、これでゆでてくれたのよ」

とたんに、昨夜汗でずくずくの肌着だの、よごれきったストッキングを、みんな代わり合ってこの洗面器で洗ったことを思い出しました。

いま食べたうどんが、口から出せるものなら出してしまいたくなりました。ちょうどそこへ来た兵隊さんに念のために、

「これお風呂で使う洗面器でしょう」

と言いましたら、笑いながら、

「これ見てしまったですか、その通りですよ。こんな戦場では、あれ、これ、と二重にも三重にも、ある上にある生活は出来ませんよ、一つの物をあらゆる方面に使いこなして、最少限度

の道具で最大の効果を得させる、こういうふうにひとりでに訓練されるのです。こんなことに一々びくびくしていたら、これから前線へ出られませんよ」と笑われました。なるほどそうに違いありません。内地の生活というものはこの見方からすれば確かに、非常に無駄の多い生活です。この覚悟、この覚悟。このつもりなら幾十年戦争が続こうと平気です。

内地を出てからはじめての休日。ちょっと昼寝をしようかと思ったら、昨日斎藤中尉殿にお願いして、坂野さんから頼まれたものを渡して頂いた小川軍曹殿というお方が、私を訪ねていらっしゃいました。内地の様子をお話したり、この辺の様子をお伺いしたりしました。

「襄東会戦が終わって、ここへ来た頃は一面の芋畑でしたが、すっかり兵隊が食べちゃって、今では少しもありません。よく食べたものです。僕もその一人なのですがね」

と言って笑いました。内地には出征後にお産まれになって、まだ顔を見ない赤ちゃんがいらっしゃるとのことです。

「まだ、子供の顔を知らんので、一度で良いから見たいです」

この明るい人の中にもしみじみとしたものがありました。

大切な、といえばどなたもそうには違いありませんが、お父さん兵隊、無事であれ、と赤ちゃんのために祈りました。

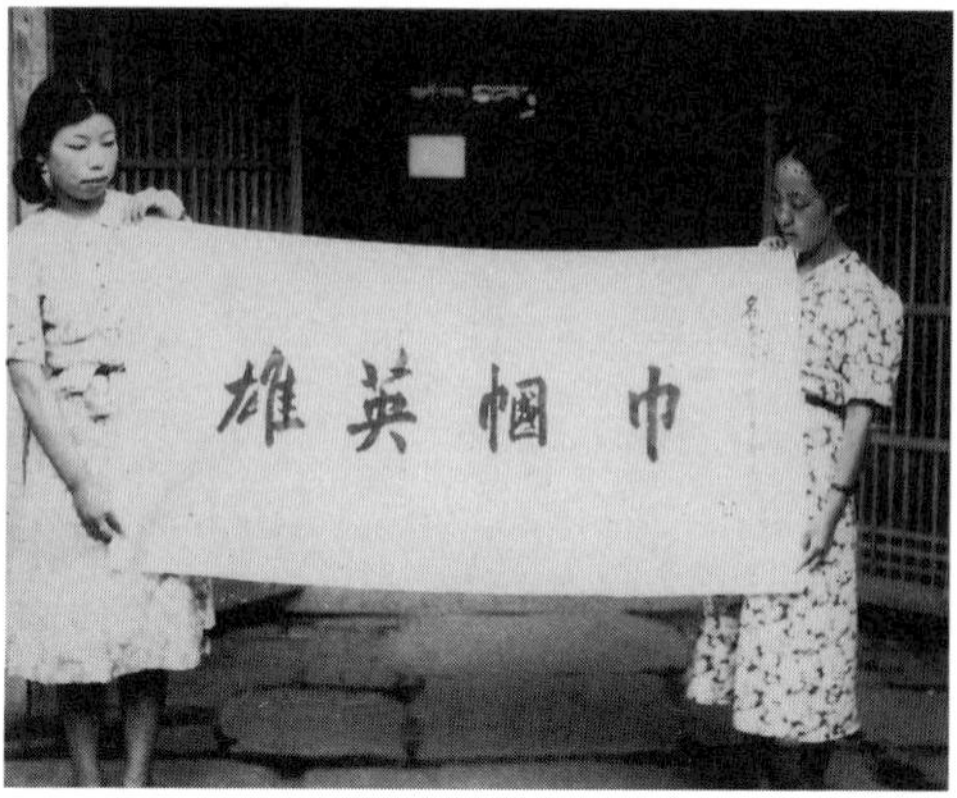

巾幗は女性の髪飾り転じて女性の意味

何だか近所がにぎやかになったと思ったら、すぐそばの池で魚捕りがはじまりました。内地から送って来たとかいう網を手にして、みんな裸になって池の中に飛び込んで、静かに向こう岸へ引いて行くのです。もう少しというところで、思わぬ障害物があって、網のどこかが少しでもゆるむと、そこを狙って一尺（約三〇・三センチ）くらいの魚が、高く飛び上がって逃げてしまいます。大騒動してやっと網を引き終わっても、一匹いるかいないかです。どの兵隊さんも幼い日のやんちゃ坊主の昔にかえったように、真剣になればなるほど、稚気満々たるものがあります。

宿舎の兵隊さんも、建築班も、報道班も、「うって一丸、魚捕り」と言いたいところです。みんな楽しそうでした。こんなことでもしなければ、暦もなく、日曜もなく、緊張に明け、緊張に暮れる戦場では楽しむということがないのでしょう。

「今夜はこれを御馳走しますよ」と言って鱒《ます》に似た魚や、なまずを指さしましたが、この泥水を見ては、ごめんごめんです。

魚捕りを見ているところへ、北野少佐殿と丹羽少佐殿のお二人が、昨日の七七記念祭で会った自治委員会会長の韓さんから、私たちへ送られた書を持って来て下さいました。

「巾幗英雄《きんかくえいゆう》」

実に品の良い字で、昨日の韓さんの面影をしのばせます。私たちが女性の英雄という意味だそうで、大変なことになってきました。

諏訪部少佐殿も来られました。

そこで大事に持っているお抹茶をおたてすることにしました。

「こんなところまで、お抹茶を持ってくる人はありませんよ、さすが名古屋の人たちだな、久しぶりでとてもおいしかった」

と皆さんが喜んで下さって、こんな句を下さいました。

炎熱の夕べ一とき茶に涼み

そのうちに原副官殿もみえました。またお茶をたてました。

野戦宗匠《そうしょう》（茶道の家元）大繁昌です。

苦労して持ってきた甲斐がありました。

夕方になると、斎藤中尉殿がお迎えに来て下さったので、服部さん、文ちゃん、と三人で部隊へお伺いしました。

夕やみの迫る細い路を歩いて行きます。

静かで、小さい頃にげんごろうや蛙等を捕まえに行った、郷里の田舎にちっとも変わらないのでした。

私たちが来るというのでわざわざ漢口まで買いに行って下さったというおいしいコーヒー（MJB）を御馳走になり、兵隊さんとの座談会にすごしました。

帰りには、トラックに乗せて頂いたのは良いのですが、兵隊さんが路を間違い、大分行きすぎてしまいました。暗い路を三人心細い思いで、村瀬軍曹殿に送られて帰ってくると、昼間のあの池の角で、いきなり、

「誰かァ」

と誰何《すいか》されて、思いもかけなかったことにびっくりして、反射的に、

「女子青年団です」

と半分夢中でいいましたら、歩哨の兵隊さんは「本当は知っていたのだけれど……」といい

ながら、また回って行きました。村瀬軍曹殿に後から「何とも言えない真剣な声を出しましたね」と笑われました。

宿舎へ帰ると、丹羽一等兵という人が待っていてくれました。この人も小学校での同級生でした。昨日会った加藤さんといい、お二人とも立派な兵隊さんになっているのが、嬉しいような、うらやましいような気持ちになりました。丹羽さんは、

「みんなで飲んで下さい」

と言って、サイダーを五本持って来て下さいました。どうして私たちが、これを頂いていいものですか。

「お志だけは充分頂きますから、皆さんだって飲みものにお困りなのだから、兵隊さんたちで召し上がって下さい」と言いますと、半分怒ったような口調で、

「せっかく遠いところを、わざわざあなたたちに飲んでもらおうと思って、これだけ集めて来たんだから、そんなことを言わないで」

とうとうこのサイダーを頂くことにしました。本当に済まない気持ちです。

戦地へ来てからは、かえって粉飾ある言葉なんか、しらじらしくて聞いていられません。それほどに人間の性質を素直にしてしまうのです。

今日一日、戦線に来てからはじめて一日休養した後の何か知らぬ淋しさ。こんなにまで私た

ちをもてなしてくれる人たちとたった三日間でお別れして、明日は再び前線へと出発しなければならない。押しせまる感傷が、夜が更けると共に私の胸をきびしくおそいました。

部隊長殿の服は破れて

七月九日

今日出発だというので多忙です。不思議なもので、二、三日住まった宿舎を出るのが、寂しくてたまらないのです。

でも、また新しい兵隊さんに逢い、新しい感激にふれることが出来るのだと思うと勇気も出て雨のパラつく中を自動車に乗りました。

この二号宿舎へ来て以来、お世話になった兵隊さんたちが、みんな来て下さいました。

前線へ行くまでのお土産だといって、慰問袋に入って来た、それこそこの土地ではどんなにお金を出したって手に入らぬ、虎屋の羊羹《ようかん》だの、蜜柑《みかん》の缶詰だのを、皆さんが自動車の中に入れて下さいます。

「悪いですから、どうぞ兵隊さんの皆さんで……」

そんなことを言っても、どうしても聞いて下さらず、この皆さんの御好意は、このまま有難く涙して頂くより致し方ありませんでした。

「お別れですね、本当にこんなところまで来てくれて有難う」

「お蔭ですっかり内地へ帰った気分でした。楽しかったです」

私たちはろくなことも出来なかったのに、皆さんにそんなに喜んで頂いて、済まないような、しかし、良いことをした後のすがすがしさは、一行の誰の頭にも一杯になっていました。

「これから前線へ行くと更に不自由ですから気をつけて下さい」

自動車の中と外から、感激の対話が繰り返されているうちに、自動車は動き出しました。

「さよなら」

「お元気で」

走って行く車の右側にも左側にも、ちらりほらりといる兵隊さんは、私たちの出発に対して、手を振ってくれました。道を歩いている兵隊さんは立ち止まって、敬礼をしてくれました。

相変わらず震動のはげしい自動車は、ただ窓枠に両手でしっかりとしがみついているよりほかにどうすることも出来ません。この道を大丈夫走れるのかしら、と思うような細い道路は、延々と支那の農村の間を縫って続いていました。

黄色い汚れた水の小川で、支那の女性たちは大勢で洗濯をしていました。あれで綺麗になるのかしらと不思議でした。その傍らで水牛が遊んでいて、角に鳥が止まっているのも知らぬ気に、じっとしているのを見つけました。自動車の中は、そんなことでも明るく騒ぎ出しました。いかにも支那らしい、〝漫々的《マンマンダ》〟（ゆったりとした）な風景でした。

私たちの自動車が上村部隊へ近づいて行くと、道の両側に、一個分隊ぐらいの兵隊さんがきちんと一列に並んで迎えて下さいました。これにはすっかり恐縮してしまいました。

自動車が両側の列の間に入って行くと、期せずして万歳万歳の雨です。それはまるで凱旋《がいせん》（戦いに勝って帰ること）兵士を迎えるその時のようでした。私たちも思い思いに、窓から首を出して、万歳を叫び、手を振り続けました。

何という嬉しさだか、涙が出て来ました。

宿舎は上村部隊長殿の隣室に用意されて通路に「女子青年団」と貼り紙がされてありました。間もなく、謄写版《とうしゃばん》（臘引きの原紙に鉄筆で文字などを書いて臘を落しその部分から印刷インクをにじみ出させた印刷物）に刷られた今日一日の予定表が渡されました。何と細かいところまで気を使われて、私たちを待っていて下さったのでしょう。もうこの辺は慰問に来る人もなく、他の慰問団の一度も来たことのない前線ですとは聞いては来ましたが、済まないような、もったいないような、これに報いるには、ただ誠意あるのみ、といった覚悟がお互いを引きしめて行きました。

ここは、さっきまでのゆったりとした気分の風景とは違い、石畳のごろごろした道と、古い民家とが、ひしめき合っている不潔な街の中でした。

加藤大佐殿にお目にかかり、〔六連隊の軍旗（天皇から賜った各連隊の旗）〕を拝することが出来ました。

日清、日露の両戦役から連綿として、今度の事変に至るまで五十余年もの間、幾度か大陸の山野を私たちの兵隊さんと共に馳駆《ちく》し、御稜威《みいつ》を燦《さん》として四海に輝かせたこの〔軍旗〕は、幾度かの武勲を物語るかのように厳として、思わず頭が下がりました。〔四方の金をよりこんで織られている部分を残し、なかはほとんど弾丸に打ち抜かれてありませんでした。〕

この〔軍旗の下〕に喜んで護国の神と散って行った英霊に、心からの黙祷《もくとう》を捧げました。

この部隊は事変のはじめから活躍した部隊で、中支における大きな戦闘のほとんどに参加して、行軍行程数千里、凱旋兵はまだ一人も居ない、とおっしゃいました。

将校の方たちで撮影された、武勲を物語る幾冊ものアルバムがありました。その中に、

二千数百年の歴史の広漠極まりない興亡史の
絶えざる争闘史の
不可解なる民族史の
迷と夢を秘めて、揚子江の濁流は
今滔々《とうとう》として流れている

大別山は忽然《こつぜん》とそびえている
大和民族の大陸進出が
揚子江の流れに、大別山系に
新しい歴史の意義ある一刻を加えた
皇風四億の民になびく
日章旗が大陸の朝風を受けて
亜細亜《アジア》民族に力強く呼びかけている

これは田中少尉殿のお作でした。戦闘の間にも、なお詩を詠じ、歌を読まれる、この余裕しゃくしゃくたる風流こそ、皇軍には古武士の血が流れている、と世界に誇るべき側面です。

お昼は上村部隊長殿をはじめ、将校の方たちとの会食でした。

久しぶりに、本当に上陸以来初めての、カレーライスに一同は大喜びでした。そして周囲を忘れて、誰もが思わず沢山頂いてしまいました。

ちょうど私のテーブルの正面の席に、川俣部隊から来られた高級副官の丹羽少〔佐〕殿がいらっしゃいます。連続する激戦に、この大陸の土に汗も脂も流しつくして、自分は日本人だ、という気概だけでこの健康を保ち続けていらっしゃるようなこの方を見て、隣にいた雅楽ちゃんに小声で「ガンジーのようね」と言ったのを聞かれてしまい、大笑いになりました。

北野少佐殿をクラーク・ゲーブルに似ている、と誰かが言いましたら、

「日本帝国の軍人が、アメリカ辺りの役者になんか似ているか。向こうがわしに似ているんだ」と叱られてしまいました。

安田中尉殿がサッカリン中尉殿。ここへお伺いして、まだ半日しかならないのに、もうニックネームを奉ってしまうなんて、しょうのない子供たちですが、かえってこんな邪気のない無遠慮さが、戦線生活にはめったにない特別の明るさを醸《かも》すらしく、そしてそれはまた、私たちの慰問団にだけ許された特権であるかのようです。

食後に、皆さんから、漢口作戦、裏東作戦のいくつかの尊い涙ぐましい、私たちの郷土の兵隊さんのお話を伺いました。

新聞で見れば、ほんの二、三行にしかすぎない記事も、そこを落とすまでには、大変な苦労があり、華々しく報道される重要地点の陥落は、こうした地味な、誰にも知られないような苦労が、いくつもいくつも堆積してなされることを知りました。そして、そういう地点が余りにも沢山あることも……。

いくらお話し下さっても、やはり戦争は自分が戦闘に参加した人でなければ、その困難さも、何だかガラス越しに物にふれているようなものではないかと思います。暑さにしても、「炎熱

灼《や》くが如し」と報道されていたって、内地の暑さだけより知らない私には、大陸のこの暑さは想像の外であった、と同じことです。

内地で新聞をよんでいた頃いかにも解ったような顔をしていた私も、こちらへ来てはじめて、自分の描いていた戦場と、今眼のあたりに見る戦場というものは、あまりにもかけ離れていることが、いよいよはっきりとして来ました。

部隊長殿はじめ皆さんの思い出話は、実際に戦争のうちに身をさらしてここまで進んで来られたその時のことがまざまざとよみがえってくるのか、お話はいよいよ熱を帯びて、壁にかけてある地図を見る眼も、実に真剣です。

「襄東作戦は全く一大決戦でした。敵か味方か判らないような時は、破れた服は日本兵で、坊やのような服を着たやつは、支那兵として間違いませんでした。部隊長殿なども、服が破れてどうすることも出来ず、内地にいる頃洋服屋だった兵隊が見かねて、手あたり次第の布切れを切り取っては繕いましたが、しまいには赤や青や黄の布切れでも、致し方なく繕うので、全くお気の毒な有様でした」

「ある時は大砲を百以上も分捕りましたが、その時の兵隊の喜びようはありませんでした。珍しい大切なものにでも触れるように、そうっと手でさすって見たりして、大変なものでした」

兵隊さんの天真爛漫《てんしんらんまん》な姿を思い合わせて、その時の様子は手にとるような感じでした。席上を流れる激しいお話に、私たちはじっと耳をそば立てました。

「また、あんまり急追撃のために、兵站との連絡がとれず、食糧が次第に無くなって、部隊長殿にだけは、何とか満足なものを差し上げたいと思いましたが、何もありませんでした。そこへ友軍の飛行機から樽入りの粉末味噌を投下してくれて、非常に有難かったのですが、生憎《あいにく》地上に落ちた時に、砂に散りくだけてどうにもならなくなりました。どうにかならないかと、それを泥のままかき集めて、水に入れて、沈殿するのを待って、土だらけながら何とか味噌汁の香りのする泥水を飲んだこともありました」

部隊長殿もしみじみとした調子で、

「一戦闘が終わって一番初めに思うことは、死傷者はどうなっているか、ということです。祖国のために堂々散っていった兵隊たちの最期の様子をくわしく故郷の人たちへ伝えてあげるのが、せめてもの部下たちに対する私の餞《はなむ》けです。

兵隊は強いですよ、全く強いんですよ。

負傷者が私のそばを通る時なぞは、痛いとか、つらいとか、家のこととかはけっして言いませんよ。

部隊長殿すみません。

と言います。後方へ退れば痛いくらいのことは言うかも知れませんが、戦場では一言も言った兵隊はありません。

全く兵隊は強いです。

しかし、風火山の戦闘の時には、私のすぐ横へ穴を掘って戦死者を荼毘にしましたが、火の中に戦死した兵隊を入れる時は、何とも言えない気持ちで、恥かしいですが、涙がぽろぽろ出てどうにもしようがありませんでした」

女性生活への反省

こうした胸をつくような尊いお話を伺っていますと、私たちが内地にいた頃は、朝夕のニュースは勝った勝ったばかりで、そこに行きつくまでの悲惨な戦場のみの持つ深刻さを知らされないために、まだ真剣味が足りなかったと思います。

「我々の血族がそんなにまでして闘っている真実の悲惨さをどうしてもっと赤裸々に知らせてくれないのでしょう。」誰にしてもこの姿を見た時、更に一層、同じ血を持った私たちの民族を愛する情熱が、堰《せき》を破って流れ出すに相違ありません。それこそ、大和民族の誇りです。そして更に銃後は固く強くひきしまっていくに相違ありません。

美食もなく、美衣もなく、ただ一心の生命で祖国を思いつつ、銃を担い、何ものをも打ち捨てて命をさらし、祖国のために殪《たお》れて行く姿こそは、美衣美食に埋もれて柔らかいソファーに腰を降ろして語るべきではありません。ただ日常の私たちの生活の中に、戦争であるという自覚と、この前線における兵隊さんたちの生活を偲《しの》んで、それを生活の中に生かして行く、一つの実行があるばかりです。

私たちのような若い娘の日常生活は、若き幸を夢に描いて、華やかに夢の如く過ごしがちでした。会話といえば、それは着物のこと、そして芝居と映画の話などが、大きな部門をしめていました。

しかし、そうした添加された華やかさは何一つなくとも、兵隊さんはかくも溌剌《はつらつ》と生きて行くではありませんか。これこそ若き日の最も高く尊い姿です。これこそ、祖国と共に生きる大きな理想を自分のものとして、その苦しさも、楽しさも、祖国と共にある大きな理想を、戦場を生きぬいて来て掴《つか》み得たものだと思います。

私たち女性こそ、華やかな自己のみの夢のために、そこに大きな無駄と贅沢とが醸される。この兵隊さんたちの理想を私たちの理想として見た場合、自分も天晴《あっぱ》れ一人前の銃後の女性のつもりでいたものが、まるで根こそぎ崩されてしまう、強い反省が起きて来ました。お話を聞きながら、いろいろのことが頭をすぎてゆきます。内地へ帰ったら、すっかり生活のやり直しです。しかし、どんな生活をしても、戦線でもそうであったように、女らしさだけは失わぬつもりでいます。

最近の山岳戦では、戦死者〔三〕百名、戦傷者〔一〕千名以上とのことです。その一人ひとりが、素晴らしい胸のしびれる物語を、この大陸の戦線に残していったことでしょう。

新占領地の家屋も修理が出来、兵も馬も肥ってくると、必ず出動命令が出るそうです。

ある時なんか占領してほっと一息と思う間もなく、わずか二時間で命令が出たそうで、その時の兵隊のしょげようったらなかったそうです。

「乞食になり、殿様になるのが、われわれの生活だ」

ともおっしゃいました。

「この建物だって、占領の直後は掠奪の跡がまざまざとして、どこから手をつけようかと思ったほどですが、やっとこれだけになりました。また、近日に命令が出て移動することでしょう」

と笑っていらっしゃいました。

お話が済んだ後で、私たちは上村部隊長殿にみんなぞろぞろ従って、難民区へ行ってみました。

家を焼かれ、着るものもなく、食べるものもない、そうした可哀相な支那の人たちに、皇軍は家を与え、食を給し、安居楽業（安らかに暮らし楽しく仕事に励むこと）に就かせるよう一定の区域に起居させている点を難民区と言います。

難民区で子供に取りかこまれる

石畳のごろごろしたせまい道の南側には、日干し煉瓦《れんが》（粘土を手でこねたり型枠に入れるなどして成形したあと天日で乾燥して固めただけの、焼いていない煉瓦）の家が並んでいます。いつもならば、もっと大勢の人数で歩けないほどなのですが、今日は比較的に少ないのだそうです。それでも随分の子供です。その子供の一人ひとりがあまりにも日本の子供によく似ていてあどけない。四千年来、土を守り通して来た農民の子供の素朴さは、本当に可愛いものでした。女の人も混じっていましたが、大半ははだしです。

「大人《ターレン》進上《しんじょう》、大人進上」

大勢の子供が部隊長殿の軍服にまつわりついて来ます。部隊長殿も何もあったものではありません。しかし、子供好きの部隊長殿は、

「いつもお菓子をやりに来るので、すっかり覚えてしまって、この通りですよ。可愛いで

しょう」

とおっしゃいました。

私たちはスーツのポケットに入れて来た金平糖《こんぺいとう》を、少しずつ子供たちの手から手へ渡してやります。そのうちにまだ片手に握っている子供まで、飛びついて来たりして、次第にたじたじとして来ます。まわり一杯子供たちに取りかこまれて動くことも出来ず困っていると、警備についで来て下さった兵隊さんが、笑いながら「こらっ」と怒鳴ると、ちょっとおとなしくなりますがすぐ元の木阿弥《もくあみ》で、その勢いは子供ながら恐ろしくなりました。

あんまりどうにもならないので、とうとう私たちは自治会本部へ逃げ込んでしまいました。

〔子供たちが、たった二つか三つの金平糖に泥んこの路をすべったりころんだり、血眼になって奪いあっているのを見ると浅ましいというよりも情けなく思います。そうして、こんなふうに、

「ただ物をやる」

という習慣をつけてしまうと、成人してからでも勤労しなくても、

「食べることができなければ、食べさせてもらってあたりまえだ」

という観念を植えつけてしまいはせぬかとも思うのです。

しかし、占領後の宣撫は第一に食物給与からだ、ともお聞きしていますので、生まれ出づるものが完成するまでの道程、新東亜建設への過渡期なのかもしれません。〕

眼の悪い子と、皮膚病にかかっている子供の多いのが、目につきました。

ある夜の感激

演芸は十七時から始まるというのに、一時間半も二時間も前から兵隊さんが一杯来て待っています。

舞台というのは、何のあとを直したのか、泥で作ったお寺の山門という感じです。

私たちのような下手な踊りを、どこへ行っても全く大変な期待をかけて見て下さるのは、本当に済まないことだと思います。そしてまた「この暑いのに踊ってくれなくても、その長い袂の日本の着物で、だまって立っていてくれるだけで良い」ともおっしゃいます。

郷土が恋しいのでしょう。

幾度か死線を越えて来たこの兵隊さんたちの顔、真珠のように光り輝いて見える兵隊さんたちからそう言われると、もう涙が出そうになるのです。センチメンタルだと笑わないで下さい。

相変わらずの藤娘を、精一杯踊りました。全く命の続くかぎりの心構えです。また、見て下さる方も命をかけて。そうです。こうしていても一時間後には、どんな命令が出て、どうなるか解らないという観念は、どの兵隊さんも寸時も忘れることなく持ち続けているのですから。

この神々しいほどの尊い雰囲気こそ、全く戦線であればこそで、あの雑然として何のしまりもなく、ただ見栄と享楽の多い内地の劇場では、絶対に味わえないものでした。

私たちも戦場へ来てから、まだほんの少ししかなりませんが、こうした余技の技芸でさえもそれがただの手の先の技ではなく、誠の心の業であるという信念を、掴み得たことを喜びます。

私たちの眼には、外観の美も醜もなく、貧しい者も富める者もなく、会社の重役さんが輜重隊《しちょうたい》（食糧・衣服・武器・弾薬などの軍需品を運ぶ部隊）の一等兵であり、大学の教授が橋を修理する、材木をかついでいる、この戦場というものを通して、何の虚飾もない、ただ心の真実さのみが思われているのです。

宿舎に帰ると窓から見える百日紅《さるすべり》と支那竹とが素晴らしい美しさです。みずみずしい竹の青さを見ていると、ふと、こんこんと岩清水の湧く情景を思い出し、淡い郷愁をおぼえます。今頃は内地の人たちは、冷たい水をコップになみなみとみなぎらせて、喉を鳴らして飲んでいるだろうと思ったりして、私も家へ帰ったら、思い切り飲んでやろうかな、と思ってみたりしました。

〔そんな自分勝手なことをいろいろ考えているところへ、韓さんから夕飯の御招待状をいただきました。

こちら特有の赤い枠のある文筒の上かきの文字は、いくら書の国だといってもこんな田舎にこんないい字を書く人がいるのかと思うと、羨ましいのを通りこしてちょっとしゃくにさわるほど美事な書体でした。それが、真っ赤な紙に書いてあるのです。この赤紙に書くということは最も敬意を表しているのだと閣下から伺いました。

昨日は「巾幗英雄」とたたえられ、今日はもっとも尊敬された日本小姐《シャオチェ》(お嬢さん)といわれてはちょっとくすぐったい感じがないではありませんが、とにかく日本女性として恥かしくないだけの、本当の大和撫子の姿を見てもらいたく、いよいよ私たちも重責があると思いますとなかなかたいへんです。

でもこんな機会は二度とないでしょう。

こんな時に日華の女性同志のちっとも隠し立てのない、心の底からの親善の会にしたいと思います。

夕方からいっそう激しく降りだした雨をおかして、劉夫人はじめ九名の女の方と韓さん、張さんがみえました。あちらからの招待会なのですが、私たちを外部へ出すと心配だと閣下がおっしゃるので、ここの本部を拝借することになったのだそうです。

テーブルを囲んで、本当の日華親善の夕べとでもいいたい和気藹々《わきあいあい》たる感が、戦場とはあまりにもかけ離れた優しい何かを四辺にただよわせています。劉さんの巧みなゼスチュアにリードされた今宵の催しの挨拶に続いて、閣下、長谷部先生の謝辞が述べられました。

日本の女性とはいかなるものであるかを知ってもらい、そうしてこちらの婦人はいかなるものかを知るよい機会であるのに、この前の時にもそうであったように通訳の人を通しての会話ではいかにもまだるい感じがしますし、自分の思っていることも向こうの人にうまく通じたのかどうかわからないと思うと、どうして支那語を勉強してこなかったのかと自分のうかつさを悔やまれます。

支那料理にも、その汚さにもこの頃では少し慣れてきたようです。

劉さんもそうですが、ことに他の方は何だかおどおどしているようです。兵隊さんがあまりにも身近にいるせいなのでしょうか。

自国の兵隊に何百年来あまりにもいじめられ通してきたこの国の農民たちには、兵隊というものは、どんなにしても親しめないのかもしれません。

サイダーを召し上がりませんかとコップについであげようとしても、いかにも迷惑そうです。熱いもののほかは飲んだこともなく、サイダーなども日本軍が入城してからはじめて見た人が多いのだそうですから無理ないかもしれませんが。私たちにはとても小さい声で、アクセントの違う日本語で「どうぞ、どうぞ」と言いながらついでくれるのを見ていると、三千年来虐げられ通してきた支那の女性の本当の姿を見ているような気がしてかわいそうになってきました。

こんな男女同席の宴会などへ出席したのは、生まれてはじめてではないでしょうか。何だかそんなふうに見受けられました。
今夜は、日本服のもつ美しさ優雅さをお見せしたいし、汗くさい団服も失礼と思って、皆が日本服で出席していますので、暑いのなんのってお話になりません。
閣下が何か一つ舞踊を見せてあげなさいとおっしゃいましたので、私の「藤むすめ」、三千ちゃんの「小守」をお見せしましたが、ただ嬉しそうに見てくださいました。
劉さんも歌ってくださいました。この国特有の哀調を帯びたしぶい声ですので、近代の上海辺りのアメリカかぶれの浮薄さなどはみじんもない、農民だけの持つ素朴な民謡らしい歌でしたが、たまらなく好感を持つことができました。〕
〔雨はますます激しくなってきました。さっきから私たちのテーブルへ雨が漏りだして方々へ逃げまわっていますが、どこへ行っても片方がよければまた誰かにかかるというふうに全く処置なし（ほどこすべのないこと。兵隊用語として多用された）ですが、野戦なのですから。〕
戦線では、将校も兵隊もまるで一家族のようで、珍しいもの、おいしいものがあれば、とにかく部隊長殿に差し上げてから、というのが兵隊ですし、ちょっとのことにも部下の身を案じるのが将校の方たちです。
〔本部の兵隊さんたちもここへ一緒におよびして、日華親善をもっと意義あらしめたらというので呼びにいっていただきました。〕

部隊長から、今夜は特別にビールが七箱も加給されましたので、兵隊さんの喜びようは手のつけようもないほどです。

「私の兵隊に、今夜は皆さんでビールをついでやって下さい」とおっしゃるので、お振袖を帯にはさんで生まれて初めてするこうしたことに一人ひとりビールをついで、兵隊さんの間をまわりました。あちらでもこちらでも、栓をぬく音、コップの触れ合う音、兵隊さんの大きな話し声、いり乱れて動く軍靴の騒々しい音、それにまじって篠つくような大雨、雷鳴、もう文字どおりおもちゃ箱をひっくり返したような、にぎやかさです。〔城外までもこのざわめきは聞こえることでしょう。劉さんも韓さんもこんなことが今まで世の中にあり得ることなのだろうかというようにぼんやりしてただ見ているばかりです。〕

そのうちに、北野少佐殿がテーブルを二つ重ねた上で踊りをはじめました。部隊長殿も上衣をぬいで、そのテーブルの上でタクトを取りはじめました。期せずして、そのタクトが軍刀で指揮をとる時のように、みんなが「丘を越えて」だとか「愛国行進曲」を、幾度も繰り返して歌い続けました。それがすむと今度は兵隊さんの方から誰かが「父よあなたは強かった」と一節歌い出すと、みんなはそれに続いて歌い出しました。こうして昂奮は次から次へと移って行きました。

どうかしてしまったのではないかと思うほど、どの兵隊さんも何もかも忘れ去って今はただ飲んで歌って、喜びも悲しみも鬱憤《うっぷん》も吹き飛ばしてしまおう、としているかのようでした。それはちょうど、死にもの狂いで死線を突破する、あの勢いで楽しい渦の中に身を投じているのです。一瞬にして生か死かの決する戦場では、戦う時も徹底的に、そして楽しむ時も徹底的に、閣下も兵隊も全く一つになって、突き進んで行く気魄《きはく》がはっきりと見られます。

〔あなたたちの大切な人たちは今、死にもの狂いで死線を突破してきた時のような勢いで喜びの渦に身を投じています。トーキー（音声入りの映画）にしてこの御様子をお送りできないのが非常に残念に思われます。〕

この昂奮を批判めかしい眼で見たり、渦巻きの中に飛び込んで行かれない私たちは、まだどこか内地の香りがぬけ切らないでいるのでしょう。

いかにもたまらないこの騒ぎに、北野少佐殿は私たちに気がねされて、一足先に私たちだけ帰らせて頂くことにしました。

帰ろうとしてみると、宿舎までのほんの一丁足らずのところが豪雨ですっかり水びたしになってしまい、とても草履《ぞうり》では駄目です。兵隊さんを見ると、軍靴をぬいではだして行き来をしています。

ちょっと深そうですし、お振袖を着て草履をはいているのでためらっていると、部隊長殿がお見えになって、

「おぶってもらいなさい」

と言って下さるのですが、きまりが悪くて、兵隊さんにおぶって頂くことも出来ません。

みんなが、足袋をぬいではだしで渡ろうとしている所へ、将校伝令（軍隊などで命令を伝達する人）の横田さんという兵隊さんが来て、

「そんな恰好では駄目駄目、おぶさりなさい」

と言って下さったので、どろどろの水溜まりに雨は強く降っているし、真っ暗だし、言うことをきいてとうとうおぶさってしまいました。

もう幾年、母の背の温かみを忘れていたことでしょうか。この年になって、こうして兵隊さんの背を借りようとは思いもかけぬことでした。じっと眼をつぶっていると、そこに母がいるような気がしました。

「君たちは軽いんだなあ」

兵隊さんはそんなことを言いました。雨の中をはだしでじゃぶじゃぶと歩いて下さる兵隊さんの背で心の中に済みません、ありがとう、と言いつづけました。

宿舎に着いた途端、何かほっとして一度に疲れが出ました。

おぶって下さった兵隊さんは、帰りぎわ、

「今度のように賑やかに、上下一致で騒いだのは上陸以来初めてですよ。あなたたちのお蔭で

みんなすっかり内地の気分が出たのですよ」

「戦争がすんで凱旋したって、自分の生きている間は今夜の楽しかったことを忘れるものですか」

などと言って行かれました。

ああまた今夜も一つ、未知の兵隊さんの世界を知り得ました。

〔広い戦線に来てみますと、私は束縛される何ものもない悠々たる気持ちになることができます。でも私はこのままの気持ちを持ち続けて内地へ帰ることを恐れています。〕

入浴を済ませて、暗いローソクの下で、この日記を書いています。

明日は更に前線の浙河《せっか》へ出発するつもりでしたが、この雨でどうなるか判らず、何もかも投げ出して寝ようと思います。今の私には寝ることが一番の楽しみなのです。

ああ小学校の級友達

七月十日
昨夜は本当に良く眠りました。明け方に一行の中の道広さんが入院する夢をみました。

今朝は道広さんが、お腹が痛いと言っていました。明け方の夢が気になってたまりません。

〔朝食はおつゆと玉子のそぼろ、大根おろしです。〕

雨は上がりましたが、昨夜の豪雨で大分被害があったらしく、今日の出発は延期となりました。馬坪《ばひょう》へ行く橋が一つは落ちてしまい、もう一つは危険とのことです。ああ、また工兵隊の難儀がふえたと天をにらんでやりました。

「兵が二名、地雷《じらい》（地中に埋めて爆発させる兵器）にかかって負傷したそうです」

と残念そうな顔をしながら、安田中尉殿が入って来られました。私たちはびっくりしてしまいました。昨夜はあんなに喜んで歌っていた兵隊さんが、と思うとたまらない気がします。

私たちの方があわててしまい、部隊長殿に、「早く誰か助けに行ってあげて下さい」「その兵隊さんは大丈夫なのですか」などと申し上げたら、部隊長殿も「自動車が出せると良いが、このぬかるみではとても駄目なので、何とか早く救援隊を出すように、今言いつけたところなのです」と大変心配していらっしゃいました。

ここからそんなに遠くない部落だったのだそうですが、まだそんなことをして、支那の兵隊は一体勝てるとでも思っているのでしょうか。この頃では、本当の地雷はなくなってしまってビール瓶に火薬をつめて埋めて行くのだそうですが、まるで棚の上のねずみのようです。

自動車も何も通れないどろんこの道、気が苛立《いらだ》ってどうしようもなく、私たちもそこまで飛んで行きたいとさえ思います。

静かなようでも、やはり戦場なのです。

〔いくつもいくつものこうした重い礎石があればこそ、新東亜建設も東洋民族の繁栄もあるのです。それなのにどうして内地の人たちは、この兵隊さんに負けないような堂々たる外交ができないのでしょう。外国を恐ろしがって顔色ばかり見たり、英米を崇拝しすぎるのでしょう。今はそんな時期ではないのです。もうどこにも頼らなくても日本は日本なのです。そんな考えを持っていたのは一世紀前のことです。ぐずぐすいう国があるとしたら、この数えきれないたくましい兵隊さんを見せてやったらいいと思いませんか。こんないい兵隊さんは外国には一人だっているものですか。〕

こうして名も知れぬ地点で、昨夜はあんなに元気だった兵隊さんの命が、今朝はもう天へ上って行く現実を見せられ、私たちはしみじみと考え込んでしまいました。

天野さんのカメラで、〔郷土〕の兵隊さんたちと記念撮影をすることになりました。何しろ沢山の兵隊さんなので、一人ひとりは針で突いたほどになるのでしょうが、誰もが「これで自分は入りますか？」「前の人と重なってやしませんか」と自分の存在を強調するために、立ったり座ったり、なかなか位置がきまりません。もっともこの一枚が〔名古屋〕新聞の紙上に出れば、自分たちの健在を〔郷土〕へ知らせる十の手紙より優ることは確かです。そのうちに一人の兵隊さんが日の丸の扇を持ち出しました。

「さっそく、家へ手紙で、日の丸の扇を持っているのが自分だと言ってやります。名案でしょう」とその思いつきを自慢すると、なるほどというので、今度は方々で同じような扇を出したり、手拭いを出したりしはじめましたので、この名案も見事に失敗です。

まるで小学校の一年生が写真をとるような騒ぎです。写してしまうと、今度は一人ずつ郷里のお名前を聞いて、お父さんに、お母さんに、妻に、子に、恋人に、この写真をお送りしてあげようというので、その記録がまた大変です。

部隊長殿に、私がお抹茶を立てて差し上げることになりました。部隊長殿のお部屋には真っ赤な紙にこんな詩が書いてありました。

上村警備司令官恵存
孫臏呉起将略堪誇
穣甘尉撩兵機莫測
応山聯合自治委員会　韓　尚徳　敬贈

〔どんな貧しい家でも、入口には赤い四角な紙に福の字を書いたものや、「紫気東来」「天地皆春」「根深繁茂」「杏花江雨」、こんな文字を書いたものがいくつも貼ってあります。中にはすばらしく調子も文字も良いものがあります。いかにも文字の国らしく、ちょっとこれだけは羨ましい感がしないでもありません。」

将校の方もお集りになったのですが、お菓子が何もありません。考えた末に角砂糖をお菓子の代用にしました。硬い甘いかたまりが、舌の上でじっと溶けて行く時のたまらない甘さは、お抹茶にふさわしい前線の名菓でした。これは帰ってからも、今日をしのんでぜひもう一度実行してみようと思います。

皆さんが、「内地の味がする」と言って大変に喜んで下さいました。ここまでこれを持って来た苦労も忘れて、もっと沢山持って来て、もっと皆さんに差し上げれば良かったのにと思いました。

毎朝、母と共に静かに頂いた一服のお茶。あの静けさから比べれば、こちらへ来ていかにも半男性化したような自分を思い合わすとき、ちょっと恐ろしいようでした。

それにしても、トランクの底に、最前線にいる門彌さんに上げようとして、持って来ているお抹茶を門彌さんが受け取ったら、どんなに喜んで下さることでしょう。今から、その時を考えてみたりしました。

山田さん、加藤さんのお二人がひょっこり訪ねて来てくれました。子供の頃は同じ級で一緒に遊んだ人たちです。これまで随分小学校の級友達に逢いましたが、戦線でクラス会が開けたら素晴らしいだろうなどと笑いました。

お昼は、お茄子の煮たのと、〔かまぼこ屋の店先に氷でぎっしり詰まっているようなお魚〕とお漬物と、果物のサンドウィッチ。〔家にいるときとちっとも変わっていないでしょう。でもこれは私たちだけ特別らしいので済まないことです。〕そこへ、私たちが部隊本部で御馳走になった時に、おいしいですね、とほめたので、部隊長殿から、かます（わらむしろの袋）に一杯北海道かぼちゃを頂戴しました。かますに一杯とはちょっと多すぎて閉口しました。

お知り合いの小川軍曹殿からお使いの兵隊さんが来て、お手紙とチーズとお薬を下さいました。戦場では一枚の紙片にも、ひとかけらの土塊にも、人情が噴き出してあふれているのを感じます。

この品を届けて下さった兵隊さんに、私のペインテックスで描いたハンカチーフを差し上げましたら、大切そうにポケットにしまって行かれました。昨日もボロボロのハンカチーフを持った兵隊さんが「これは国を発つ時に慰問にもらったのですが、大切なマスコットでしてね」と言っていたことを思い出しました。

日章旗を分ける

久々で母に手紙を書きました。いくら書いても、今の気持ちはとても伝えられないと思って、安心するように食物に恵まれていることだけを書きました。

一体、この泥濘《でいねい》の道は、いつになったら乾くのでしょう。やっと通って行く荷車の跡はそのまま壕のように深い溝が作られ、人の足跡は深い穴を作って行くのです。乾く時はまたそのままで、かちかちに固まってしまう。わずかばかり道の手入れをしてもどうにもならず、そうっとして平らのまま乾くのを待つばかりで、何事も大きな自然に委せておくより致し方がないのです。

どこへも出られないので、みんなで横続きの兵舎へ遊びに行きました。そこには無電（無線電信）の兵隊さんたちがいました。

「大変不躾《ぶしつけ》で悪いのですが、あなたたちの中でどなたか日章旗を持っている人はいませんか、この隊で欲しくてしょうがないのだけれど、ここではどうしても手に入らないのですよ。日章旗をこの無線電信の機械の上に立てて、カチカチとキーをたたくと、討伐に行っても気分が良いのですけれどね、第一心構えが違いますからね」〔といわれ、いつか揚子江左岸の蕪湖あたりで山間の通信隊の屋根にひらめいていた日章旗を思い出し、さもありなんとこの兵隊さんたちの思いがわかりました。〕

真っ白な中にくっきりと赤い日の丸こそ、私たち日本人の血潮の赤さです。そしてまた、故国を離れて日章旗を見る感激は本当に頼もしく、心躍るものがあります。私も、この地に来るまで、何度か、今まで気がつかなかった日章旗への感激を味わったものでした。

この慰問団に参加してこの地に来ることが定まった時、それは女性にとって出征にも等しいものだというので、学校の恩師家田先生に祝っていただいた日章旗へ、皆さんが寄せ書きをして下さったものを、もしもの場合に、と思って大切に持っていました。

「文字が書いてありますけれど、良いですか」

「大変済まないことですが、頂けたらぜひ」というので、宿舎にかえって持って来ました。

「これは素晴らしいぞ。だけど、こんな皆さんの寄せ書きしてあるものを悪いなあ」

「いいえ、私たちが持っているより皆さんに戦闘で使って頂いた方が、贈って下さった人もどんなに喜ばれるか判りませんから」

と言いますと、みんなで、

「おい、日章旗が来たぞ」

「次の討伐にはきっと一番乗りをしてみせます。嬉しいなあ」と大変な喜びようで、その隊の正面の壁に飾りました。見ると、それには恩師をはじめ、お母さん、弟、そして近親の人たちや、仲の良い友達の名前がずらりと並んでいます。みんな私の安全を一心に祈りながら書いてくれたものなのですが、この日章旗がこの意義ある場所を得て、私が持たずとも故郷のみんながどんなに喜んでくれるかと、これに過ぎた喜びはありません。

夕食はお魚のフライと〔松茸の〕お汁でした。

皆さんの御好意で毎日御馳走です。この御馳走を作るために、どんなに苦労をしていらっしゃるか、もったいなくてなりません。

〔今頃は鮎の美味しい季節ですね。私たちの兵隊さんに思いきり生きのいいピチピチした鮎の塩焼きを食べさせてあげたら、どんなに喜ぶだろうと思います。〕

〔夜はお話好きの閣下から随分いろんなお話がでました。大戦後の疲弊しきったドイツを見ていらしたせいか、非常に「実行の人」といったふうで、女性を見る目も他の方とは違って自分と同位置として取り上げて下さいますので、私たちもしっかりした信念を持って接していかなければ押し付けられてしまいそうな気もしますが、理解のある閣下です。

軍部の方にもこうした女性を正しく見てくださる方があるのかと思いますと私たちは力強い感じがします。〕

服部さんと道広さんは、今朝からお腹を悪くして、何も食べずに寝ています。一行中で私が一番細い体なので、一番先に参ってしまうかと思っていましたのが、一番元気で、細かい仕事を一身に引きうけているのを、道広さんは癪にさわるのか、「一度くらい熱を出して岩佐さんも寝るようにならないかなあ」と言いますが、それだけはごめんです。

リュックサックの後始末から、喧嘩の仲裁から、缶詰を開けることから、何から何まで写真班の天野さん、天野さんです。お釈迦様でさえ御しがたいといった女の子ばかり六人と共に、起居するのさえ御迷惑でしょうに、いろいろと細かくお世話して下さるので、本当にどれだけ助かるか判りません。

部隊長殿は〔浙河《せっか》〕からの暗号電報の解けるのを待っていらっしゃる様子で、お部屋からはまだ灯りがもれていました。

七月十一日

今日は片岡部隊へお伺いするので少し早く起きました。お天気のせいなのか、頭が重く、とても苦しいのですが、兵隊さんの姿を見ると、負けてはいけないと思って頑張ります。

朝食までの間に、部隊長殿が私たちの将来のために、いろいろお話して下さいました。

花に譬《たと》えるならば、谷間の百合《ゆり》であって、牡丹《ぼたん》になってはいけない。
ヒヤシンスであってはいけない。
フリージヤでなければいけない。
もう一ついうならば、菊であって、ダリヤであってはいけない。
しかも、大輪の菊ではなく、
夏菊のあの清楚な趣がなければいけない。

ドイツに長い間行っていらっしゃったという上村部隊長殿から、諄々《じゅんじゅん》と婦道というものを教えられました。これは新しい女大学とでも言いたいものでした。

〔けばけばしい布団縞《ふとんじま》か長襦袢《ながじゅばん》かわからないような着物を着ているお嬢さん方に、このお話と私たちのこの兵隊さんの強さをお見せしたいと思います。〕

九時に片岡部隊へお伺いしました。本部の前まで自動車で送って下さったのですが、そこから演芸場までの道が、相変わらずの泥んこなので泣き出したいくらいです。私たちの靴がその泥の中に入って、すっぽりと脱げてしまいそうになるのです。

ふと見ると、本部の前の小さな池に、ちょうど浮御堂《うきみどう》（琵琶湖の堅田にある、湖面に浮かんだように建てられたお堂）のようなものが作りかけで、兵隊さんたちが一生懸命に作業中でした。

日本の雰囲気にすっかりくつろいで上村部隊長（右より二人目）と

兵隊さんたちはちょっとした点にも、日本的な味を出そうとするようです。

私たちの泊まっていた二号宿舎だって、格子戸からお茶席の床柱から、靴ぬぎまでがすっかり日本調なのです。そうして少しでも内地の味を出して、この大陸の戦線生活に潤いをつけようと努力しておられるのをみると、たまらないものを感じます。

ここの浮御堂を作りつつある兵隊さんだって、きっとそんなつもりなのでしょう。青い畳、糊のごわごわする浴衣《ゆかた》、身のちりちりにしまったお刺身と冷たい水が飲める内地を考えているのでしょう。

舞台への着替えは、三畳くらいのむしろの下がっている土の家でするのでした。狭いので暑くてたまらず、さそりでも出て来はしないか、と気味が悪いです。

外はすぐ野外観客席で、真っ黒く日やけした兵隊さんたちが、戦闘帽の日覆いをたらして、ぎっしりと並んでいて、どこを通りぬけようかと思うほど少しの隙間もありません。相変わらずの泥の海。この中を兵隊さんは座ることもならず、立ったままで今日の慰問演芸会を見て下さるのです。私たちは全部草履なのでぬかるみに困っていますと、兵隊さんがむしろや煉瓦のかけらを探して来て、通路に並べて下さるのですが、一人が踏みつけるとすぐもぐってしまって、使えなくなってしまうのです。

どうして、こんな柔らかい泥なのでしょう。

今日の舞台の上には珍しく風船が一杯につるしてあります。ふだんは酒保ででも使っているのかも知れません。

この部隊には、車輛部隊のほかに、自動車部隊のあることを伺っていましたので、みんなで自動車隊の歌をお教えしましたら、ここでも「今までは愛馬進軍歌ばかりで、俺たちの方の歌はなかったが、今日からはええぞ」と髭を長々とのばした兵隊さんたちが喜んでいました。童心にかえるということは、なかなか難しいことなのですが、この人たちこそ、童心を持った人たちといえるでしょう。

兵隊さんが大勢のために一度では見きれないというので、二回同じものを繰り返しましたが、ちっとも嫌にならないのはどうしたわけでしょう。みんな兵隊さんたちの熱に、そんな甘ったれた気持ちなどは吹き飛んでしまって、ただ死ぬまで、殪《たお》れるまで、踊るんだと一生懸命です。二回目の時などは声を出そうとすると喉がヒリヒリとして声が出ません。それを無理にしぼり出して、大別山にたたきつけるような気持ちで歌いました。

今では顔に流れる汗も、大して苦にならなくなりました。しかし、見て下さるほうで暑くるしい気がして、不愉快でしょうと思います。

演芸が済んで少し休んでいましたら、一人の兵隊さんが

「自分は公用で本部まで来て、ちょうどあなた方の慰問を受けることが出来ましたが、私たち分隊の見られなかった戦友に、土産にサインをしてやってくれませんか」

と言って、日の丸の扇を持って来ました。こんなに沢山の兵隊さんが見に来ているのに、まだ見ない人の方が多いと聞いて、「素晴らしい数の兵隊さんなのだなあ」と驚きました。内地のどこを歩いても、ちっとも男の人が減ったようには思えないのに、大陸のどこへ行っても、こんなに夥《おびただ》しい数の兵隊さんがいるのです。日本は頼もしいなあ、と思ったりしました。

その一人の兵隊さんに、皆で思いきりいろいろのことを書きました。私も「私たちの兵隊さん万歳」と書きましたら「これはいいや、有難う」と言ってくれました。

そうして、小さな支那馬を繋いだ車輛に、一杯乾草の配給をうけていました。

「お前の方は、まだこれだけ持って行くのだぞ、一度に積みきれるか」

「とても駄目でありますから、もう一度来ます」

その兵隊さんは、自分の背丈以上も高い乾草を積んだ車が、泥の轍にめり込むのを馬と一緒に防ぎながら、帰ってゆきました。小さな支那馬に私たちはいらいらしました。

近くの部落なのかと思いましたら、ここから二里も先の部隊から来たのだそうです。それを事もなげに、「もう一度来ます」と言い切った、汗の中から抜け出して来たような顔は、偉大なものに見えました。

「ただいま」

もうすっかり馴れきったわが家のような上村部隊本部へ帰ると、いきなり部隊長殿のお部屋の前でみんな大声でどなるのです。

部隊長殿は私たちの帰りが遅いというので、大変心配して下さったのだそうです。顔を見るなりにこにことして、

「暑かったでしょう。えらい、えらい。さあ、早くその汗の着物をぬいで、お風呂に入りなさい」とまるでお父さんのようです。

ここへ来るまで、お風呂は一週間に一度入れば良い、と覚悟を決めて来ましたのに、部隊長殿や、兵隊さんの御好意で、日風呂の贅沢さは思いもかけませんでした。それがたとえ泥の色

のついた水であっても、カルキーの臭いのする水であっても、お風呂に入っていてお月様やらお星様を見ることが出来るのは、タイル張りの立派な浴場より、どれほど風流かわかりません。

兵隊さんは、新しい土地を占領するとすぐ、御不浄《ごふじょう》（お手洗い）をこしらえるそうです。本当に日本の兵隊さんは、きれい好きなのです。暇さえあれば、お洗濯をしていますし、兵舎の掃除なんか女の私たちが恥かしくなるくらいです。そして日常生活の万事につけて要領がよく、器用に素晴らしい新案を次から次へと生んで、時間等も要しないのです。私たちの内地でも、しきたりばかりを尊重していないで、もっと創意ある生活をしたら、面白いだろうと思いました。例えば、どこの御不浄でも〔その頃一般家庭には水洗便所はありません〕、必ず石灰が入れてあって、用が済むと上から散布するようになっていますことなど、家にいるときなど思いもつかないことでした。

お夕飯はハンバーグステーキと野菜サラダです。限られた材料で、よくこんなにおいしく出来るものです。兵隊さんの中に東京のお寿司屋さんにいた人がいて、腕を振るって下さるのだそうですが、全く物を巧く生かしていること、ただただ頭が下がります。

エジソンみたいな人でも、この兵隊さんたちの生活必需品発明にはおそらくかなわないだろうなどと思ってみたりします。

「今夜は皆さんをしばらくお母さんの許へ返してあげましょう」と北野少佐殿がおっしゃった

ので、何かと思ったら、手回しのポータブルの蓄音器がありました。レコードは部隊長殿が非常に音楽に趣味を持っていらっしゃるので、美しい洋楽が沢山ありますが、日本のものも沢山ありました。

〝新内流し〟やら、〝野崎の道行〟やらを聞かせて下さいました。野崎なんか殊に、久松とお染が舟と駕《かご》で両花道を行く、合方《あいかた》の三味線《しゃみせん》につれて動く文楽の人形芝居の、もう言うにいえない、切ない人情の美しい情緒を思い出してしまい、支那にもお光のような〔命にも代えがたい恋人を主人の娘に譲り、自らは髪を切って義理に生きるという〕人はいるかしら、と思ってちょっとしんみりとしてしまいましたら、北野少佐殿が「そろそろお母さんが恋しくなってきましたね」とにっこり笑っていらっしゃるので、戦地まで来ても、こんなロマンチックなことを思っている自分の心を考えたら、恥かしくなってその場を逃げ出してしまいました。

一行の中山さんが私に、

「お姉ちゃん、着物に何か変なものが一杯ついているのよ」と言って持って来ました。

「何かくっつけたのじゃあないの」と手にとって良く見ると、肩から衿のあたり一面ピンク色の布地へ青い黴《かび》が生えているのでした。

「わああ、着物に黴が生えてよ」

というと、誰も彼も、皆着物を更《あらた》めはじめました。私があれほど大事にしていた秋草のお振袖も見事に一面、真っ青な黴でした。

考えてみると無理のないことで、何しろこのすさまじい暑さに、汗でびっしょりになったのを、ちょっと風に通してはトランクに仕舞っている、それを毎日繰り返しているのですから、着物には汗がすっかりしみ込んでしまったわけなのです。

着物に黴を生やしたのは生まれて初めてです。まだこれから一か月もこの着物を着ようというのに、すっかり情けなくなってしまい、みんなお互いに顔を見合わせていましたが、仕方がないと諦《あきら》めましょう。

兵隊さんの、クリークにつかり、血潮に染み、汗と脂で染め上げられた戎衣《じゅうい》（戦争に出るときの衣服）のことを思えば、まだまだ大丈夫です。

それに、この着物一枚ぐらいどうなっても構いませんが、今までのような見栄えのある着物でなく、このお振袖ほど大勢の兵隊さんに楽しんで頂いて、人のためになった着物はないのですから、たとえどんなになっても、大切にしておきましょう。

二十時から将校の人たちと座談会をしようということになりました。応接室兼食堂兼会議室へ皆さんが集まって、堅くるしいことは一切ぬきで、思う存分おしゃべりをさせて頂くことになりました。部隊長殿をはじめ、将校方から議題の総攻撃で、おしゃべりには相当に自信のあるみんなもたじたじの態です。戦争のことからパーマネントへ、婦人解放運動へ、お話は飛躍に飛躍をして、どこへ行きつくやら知れず、この座談会こそ速記でもしてまとめたら随分面白いものになったでしょうと思います。

〔女性をある点まで相当に理解して、堂々と見ていてくださるここの方たちには嬉しく思えましたが、また反面非常に深く見られているようで恐ろしい気もいたします。女であるがゆえに、女は弱いなどとはじめからハンディキャップをつけられるのも嫌ですが、それかといって「女なんか」と思われるのは一層嫌です。フェミニストになって下さいというのではありませんが、女性が絶対に無視できないものだということを痛感させなければだめだと思いました。〕

そして、最後に明日は流行歌なしの童謡会をしようということになりました。どんなことになりますやら。

今日一日、実に気楽に過ごせました。自分たちの使命を考え、皆様の御好意に甘えすぎてはいけない、と反省致しました。

七月十二日

今日は、ここから約二粁《キロメートル》ほど離れたところにいらっしゃる星部隊をお訪ねすることになりました。

宿舎から途中の野戦倉庫までは、部隊長殿の御好意から、素晴らしいクライスラーの自動車をオープンにして颯爽と走りましたが、それから先は幌馬車に揺られてまいります。いつかしら映画の題名に「幌馬車」というのがあったりして、あの馬車の上に丸く大きく幌を張り広げている馬車を、フランスの映画等に出てくるようなロマンチックなものにお考えになるかも知れませんが、しかしこれはそれとはおよそかけ離れたものです。

輜重車《しちょうしゃ》（食糧・衣服・武器・弾薬などの軍需品を運ぶ車）にあり合わせの布切れを張りあわせて、ほんのわずか日除けになる程度のものが丸くまげた竹から竹へと張られてあって、中は二人が座ると一杯になってしまうのです。それに荷物を運ぶ車なのでクッションもなく、小石が車にかかってもすぐに体に響きます。それでもこれが、この戦場では最大の豪華な乗物であり、それで私たちを迎えに来て下さったのです。

道は大変な泥沼の悪路。これはとても内地の霜柱のぬかるみなどとは比較も出来ません。幌馬車を曳く馬の足は、時には半分ほどもぶすぶすと泥にうずまり、それについている兵隊さんは、膝までかくれる泥の海をさながら泳ぐようにして歩いて行きます。そして馬のためにある時は、自分の体でしっかりと馬を支えてやったり、ある時はたてがみにしがみついて悪路を越したり、全く人と馬が一体になった姿です。そして少しでも良い路を馬に通らせようと一生懸命です。身体中ただ泥で、背中まではねが上がっても少しも気がつかないふうです。一度なんか泥の轍にめり込んでしまって、どうしても動きません。そうすると後の車についている

幌馬車に乗り泥濘の道を進む

全部の兵隊さんが集まって来て、車輪につかまって動かして下さるのです。どなたを見ても、汗と泥でまるで絵にあるお不動様のようです。その上に乗せて頂いている私たちは、すっかり恐縮してしまって、小さくちぢこまってはいるものの、どうすることも出来ず、

「降りましょうか」

といいますと、「まあ、乗っていて下さい」とおっしゃいます。あんまり私たちが「おりましょう」というので、兵隊さんたちは、

「こんな泥の中へあなたたちに降りてもらったら、それこそ馬より始末が悪いですよ。まあ、じっとおとなしく乗っていて下さるのが、かえって良いのです」

とおっしゃいました。なるほどこの泥の海のような中に、私たちが下りたとしてもどうすることも出来ません。ですけれど、私たちの気持ちとしたらこんなにどろんこの道でも、歩いた方がどれほど気楽かしれません。

「仕方がないから、皆さんのお心に甘えましょう」そんなことを言って、みんなが馬車の中で防暑帽（麦藁の上に布を張って作った日差しを避ける帽子）をかむり、着物の裾をはしょって、レコードを割らないようにじっと胸にかかえ込んで、お互いにしがみつき合っている様は、後から振り返って考えれば、笑える姿かも知れません。

二粁《キロメートル》ほどの道を、四十分あまりもかかって、やっと皆さんの待っていて下さる部隊本部へついたのでした。

ここは河に面したゆるやかな丘を背景に、小じんまりとまとまった美しい部落でした。

それにしてもやがて日盛りで、今日もまた気が狂いそうな暑さです。若草山のような美しい丘の裾に作られた丸太の舞台は、一歩足を踏み込むと足の裏が焼けそうです。

途中で手間取って予定より遅れたために、この暑さの中に何の日除けもない丘で、随分前から沢山の兵隊さんは、大陸の陽に真っ黒に焼けたたくましい体を、惜しげもなくさらして待っていて下さったのです。

この暑さの中で藤娘を踊る着物を着ると、じっと立っていても着物の衿をずうっと汗が流れて通り、それが胸を伝って、堅くしめた帯のところでずくずくにしみて行くのが、はっきりと解ります。手の甲も腕も、水に飛び込んだような汗です。それに着物がぴったりとくっついてしまって、踊る時には全く手の自由がききません。

レコードのお世話をして下さる長谷部先生も「決死的ね」とおっしゃりながら、麦藁の防暑帽で陽をよけながらレコードをかけています。そのうちに炎熱のためにレコードが次第にそり返って来てしまって、巧《うま》くかからなくなり、途中から針がそれてしまいます。どうにも仕方なく、長谷部先生はとうとう御自分の防暑帽を蓄音器の上にかぶせて、かろうじてかけている始末です。もう笑うどころの騒ぎではありません。

その中で兵隊さんは、じっと、本当に済まないと思うほど、またたきもしないで見ていて下さるのです。時々汗が眼に入ると、それをうるさそうに、手でごしごしとこすっていらっしゃるのです。

私たちも、もう暑さも汗も忘れています。今夜のことも、明日のことも忘れて、着物なんか破れたって、このまま倒れたってかまうものか、私たちが来たことをこんなにまでも喜んで下さるのですもの。

感動することは恐ろしいものだ、と思いました。

帰り路もまた、あの泥の道です。兵隊さんも馬も、そして私たちも遂に泥んこです。

車の揺れるたびに、車の中まで泥がはね込んで、「土と兵隊」（火野葦平の著作）をお書きになったあの道も、こんなだったのであろうと、しみじみ支那の土を見るのでした。

こんな道を苦心して私たちを往復させて下さった兵隊さんには、全く済まないと思いました。何度も何度もお礼を言いました。

やっと宿舎まで引き返してくると、何だか頭が痛く、日射病にでもかかったのではないかしら、と何の見栄もなくひっくり返って休みました。

ああ、一分間でも良いから、冷たい風が吹かないかなあ……。

お昼は自治委員会から御招待をいただいていましたので、私たちはほっと一息つくとすぐまた、城内へ出かけねばなりませんでした。それほど遠いところでもないのですが、途中が危険だから、というのでトラックで送られて行きました。

城門のところには歩哨が立ち、それから中は難民区で、通行人の良民証を一人ずつ調べていました。もうここの住民たちも大部分は帰って来ているとみえて、沢山の野菜を持ったり、子供をつれたりして眼まぐるしいばかりの人通りでした。

そのうちに、いつの間にやら歩哨のまわりに人だかりがして、騒がしくなりました。こんな場合、私たちはむしろ本能的にぎくりとしました。何だか解らないのですが、怖いもの見たさに人垣のうしろからのぞいて見ると、それはまだ私たちの幼い頃、お嫁さんの荷物等を運んだりしていた釣台《つりだい》（物をのせ二人でかついで運ぶ台）のようなものの上に、まだ息をしているのかしら、と思うほど死人のような老婆を横たえたのをわきに置いて、四、五人の支那の人たちが口々に何かを騒がしく喋っているのでした。それは哀願しているようでもあり、また一面では非常に落ちついた日頃の対話のようでもありました。

そんなことをしていたら、あのお婆さんは今にも本当に死んでしまわないのかしら、と思うのですが、付添いの人たちはとてもこんな病人を連れているとは思えない、至極《しごく》何でもない、というような落ちつきようで、薄気味悪くなってしまいました。人の死などということを何とも考えていないのかしら。運命というものに全く頼りきり、任せきってしまっている悠々たる人たち。この人たちの無神経さといいますか、神経の太さといいますか、この気持ちは多少の違いはあるとしても、難民区にいる農民の人たちの本当の姿らしく見受けられます。

やがて、狭い門を通りぬけ、山門のような所をくぐると、その両側には青年団や婦人会の人たちが大勢出迎えに出ていてくれました。部屋は薄暗く、その正面には沢山の仏像が並んでいてそれが赤や青の原色で生々しく彩色されて気味悪くほほ笑んでいました。私たちはその前に案内されました。

韓さん、張さん、劉さんなどが昨日と同じようににこにこしていました。

韓さんが立って、こんなことを言いました。

「自分の国の兵隊に、惨めといえばあまりにも惨めにいためつけられて、掠奪の跡のまだ生々しい所を、幸いに皇軍の手により救われて難民区を作り、良民たちが復帰して、安心して生活出来るようになったことを感謝しています。これから新しい生活を踏み出すのですから、どうかよろしく指導して下さい」

というようなことを言われました。それを危なっかしい日本語で話され、正しく発音しようとするとなおさらにつまってしまって、傍らから山中通訳官が補足するのですが、非常な熱心さで、不充分な言語であふれる真心と情熱を表現しようとする。その充分に表現出来ないところがかえって私たちの心に何かをしみ込ませて行くのでした。

上村部隊長殿からは、

「事変の目的は、東洋人のための立派な東亜を作るために戦っているのである。日支両国の本当の姿をお互いに理解するには、男性ばかりではいけない。両国の婦人が心から融けあい、お互いを良く理解すべきである。そのためにも、こうした内地の娘さんたちの来訪を受け、お互いを理解し、親善を増す機会を得たことは、今後のために非常に有意義だと思う」

というような意味のお話がありました。

お料理のテーブルにつくと、どうもお寺の本堂で支那料理を食べているようで、何だか変な気分です。

蠅の多いことは、お話になりません。お料理が一つ運ばれると、それと一緒にわんわんとくっついて来ます。よく見ると、頭の方が真っ赤なすこぶる華やかな蠅で、手や扇で追って逃げるようなそんな生易しさではありません。思う存分に御馳走になるか、叩き殺されるかの鈍重さです。ふと、さっき城門で見た支那人の根強さを、この蠅に思い出しました。

私たちのうしろからは、絶えずボーイが家鴨《アヒル》の羽根で作った長い柄の大きな団扇《うちわ》で、漫々的《マンマンダ》に（ゆっくりと）涼を送っていてくれます。またしても映画で見るアフリカ辺りの賓客のようだとはお思いになりませんか。劉夫人がしきりにこの御馳走をすすめて下さいます。蠅だらけですが食べないわけにも行きませんので、お料理の手前の方からトンネル型に穴を掘って、真ん中の方だけ頂戴しました。随分お行儀が悪いとお思いになるでしょうが、皆さんたちでも、きっと、こうなさるだろうと思います。

食事が終わると、今度はお芝居を見せて下さいました。この戦場の真っ只中の部落で、お芝居などとは思いもよらないことでした。それは、さっき通って来た山門のような所の楼上で始められましたが、あの美しい支那俳優の「梅蘭芳《メイランファン》」（中国の京劇界を代表する女形の名優）などを想像していた私は、ちょっと失望しました。幕も背景もありません。お能の舞台のようですが、日本のあの松羽目《まつばめ》（板鏡）の荘厳さもありません。ただよごれた灰色の幕を背景にして、その前に楽士が並び、銅鑼《ドラ》、鐘、四竹、ポコポコと音のする太鼓、チャッパ（シンバルのような金属製打楽器）、胡弓等を喧《やかま》しくはやし立てるの

楼上で演じられる支那の芝居

でした。俳優の出入口はその幕の左右にあって、やはり主役、二枚目、三枚目、女形《おやま》とあるらしく、この様子は日本の歌舞伎のようです。殊に目をひくのは、女形の歩く姿が、腰をすえてちょこちょこと危なげなのは、昔の纏足《てんそく》（女児が四〜五歳になった頃、足に布を固く巻いて大きくしないようにした中国の古い風俗）にして腰の細い女をもって美人とした頃の俤《おもかげ》が、芝居の中にも一つの型として残っているのだろうと面白く感じました。

何でも、三つの演題なのだそうですが、幕を引くでもなく解説があるわけでもないので、どこが始まりでどこが終わりなのか、さっぱり解らないで閉口です。見ている支那の人たちは、おそらくこれが戦後はじめての芝居だと見えて、楽しそうに、しきりと拍手を送っていました。

支那の人にお茶漬けの味が解らないように、私たちもこれから沢山の舞台を見てはじめて幾千年と続いたこのよさが分かるのだろうと思いました。

芝居をしている俳優を、後から団扇であおいでやったり、隣の楽屋には汚い男が寝そべっているのが見えたり、それはちょうど、日本のお盆の村芝居のような、のどかな風景でした。

この芝居を見に、私たちを中心としてこの部落の人たちが随分集まっています。そして今日は、あの難民としての苦労も忘れて、誰の顔も晴れやかです。本当に皇軍が早くこの地に入城してあげて、良かったと思いました。

十六時までの予定が、一時間も遅れて帰りました。

「今日は天晴れ女外交官というわけね」

と誰かが言いました。

朝からの泥の行軍と、この御招待宴ですっかり疲れて帰ると、片桐部隊からお使いの人が来ていました。この前に部隊本部前で私たちの下手な踊りを御覧に入れたのでしたが、まだ見ていない人が九百人余りもいるから、ぜひもう一度見せてくれ、というお話でした。それではというのでお訪ねすると、部隊長殿は、

「本当に勝手を言って、あなたたちにお気の毒なのですが、みんなも、〔故郷〕のあなたたちをぜひ見たがっているのですから、演芸は何か一つだけでもやって下されば、それで良いので

す。ただ顔を見せて下されば、みんなは満足するのですから」とおっしゃっていました。

「愛馬行進曲」や「郷土だより」を歌いました。ここでもまた、「郷土だより」は私たちも兵隊さんも終わりごろは感激の涙声でした。

部隊長殿が「〔名古屋〕出身の兵隊が多いから、面会して下さい」といわれるので、皆さんの中に入ると、大勢の兵隊さんたちが、一度に堰を切ったようにわいわいとおっしゃるので、何も解らず、とうとう〔地区〕別ということになって、〔中〕区、〔西〕区、〔中村〕区というように分かれて頂いて面会しました。手帳を出してご伝言を控えたり、お手紙をお預かりしたりしました。

ここでもまた、山田さんの弟さんや瀬尾さんなどと、良く知った人たちとお逢いすることが出来ました。

帰りは日盛りのほこり道を、みんな防暑帽をかぶり、和服の人は裾をはしょったり、団長は紫外線除けの黒い眼鏡にほおかむりをしたり、手に手に兵隊さんから郷里へのお預かりものを抱いて、ぽくぽくと歩きました。

宿舎に帰りつくと、今度は本部の兵隊さんが待っていました。少しも自分の時間というものがなく、汗の体を拭く暇すらなくて、次から次へと追われているのでした。

部隊長殿童謡を歌う

大急ぎでお夕食を頂き、まだ明るい日没前の頃に、昨夜の場所に行きつきました。

昨夜、上村部隊長殿と約束をした「家郷の夕べ」を開催するためでした。

全部童謡ばかりで、絶対に流行歌を歌わないこと、部隊長殿も将校方も、そして何〔千〕人もの兵隊さんも、私たちも加わって童謡の大合唱をやろうというのでした。

部隊長殿にどういうお考えがあってこの催しをされたか知れませんが、歌というものは不思議と過ぎ去った昔を思い出す繰り糸となるものです。ふと何かの拍子で昔の歌を思い出すと、私たちの胸にその昔の日のことが生々しくよみがえってくるものです。幼い日のことを思い出すには、あの小学校で歌った歌は不思議な魅力を持っているものです。

兵隊さんたちは、筵《むしろ》や板や紙切れを敷いて腰を下ろしていました。

部隊長殿も、北野副官殿も、安田中尉殿も、塚本少尉殿も、私たちも全員出席しました。

みんなの手に、謄写版刷りのプログラムが渡されました。それは図案が入った二色刷りで、戦場としては、凝りに凝ったものでした。

家郷の夕べ　七月十二日　於上村部隊

第　一　部

兵隊さんよ有難う、鳩ポッポ、僕は軍人大好きよ、雨々降れ降れ、お手々つないで、叱られて、青い眼の人形、白地に赤く、證城寺の狸（これがプログラムにはショウジョウ寺の猫と間違って書かれてあるのも、かえってお愛敬でした）、カナリアの歌、あの町この町、露営の歌

第　二　部

港、浜千鳥、水師営の会見、婦人従軍歌、荒城の月、白菊、旅愁、庭の千草、真白き富士の嶺、天然の美、埴生の宿、愛国行進曲

などで、明治から大正、昭和時代への有名な歌が全部含まれていました。

どこから持っていらっしゃったのか、小学校の校庭で学校の先生が弾いて下さったような、小さなオルガンが一台あります。それで伴奏が入るのですが、時には伴奏を弾けない歌もあるのです。

部隊長殿も、将校の人も、髭もじゃの兵隊さんたちも一つになって、天真爛漫に童謡を歌うのは、誠に不思議な風景でした。

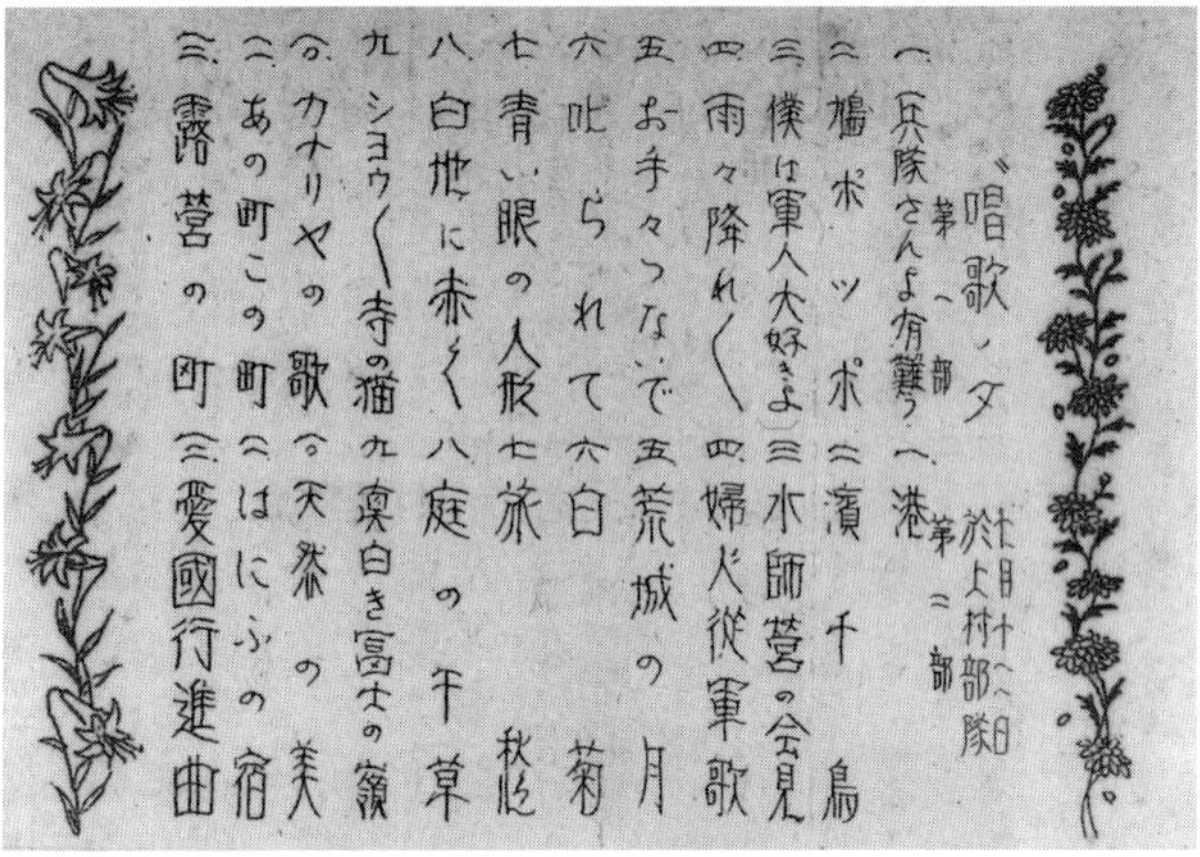
"唱歌ノ夕"
於上村部隊
第一部
一 兵隊さんよ有難う
二 鳩ポッポ
三 僕は軍人大好きよ
四 雨々降れ〳〵
五 お手々つないで
六 叱られて
七 青い眼の人形
八 白地に赤く
九 ショウ〳〵寺の狸
十 カナリヤの歌
十一 あの町この町
十二 露営の町
第二部
一 港
二 濱千鳥
三 水師営の会見
四 婦人従軍歌
五 荒城の月
六 白菊
七 旅
八 庭の千草
九 真白き富士の嶺
十 天然の美
十一 はにふの宿
十二 愛國行進曲

「家郷の夕べ」のプログラム

初めの一節を歌う頃は、あちらこちらで笑い声が起こりました。しかし、次第にそれも静まっていくと、今度は真にせまるほどの静かさでした。静かな静かな中に、歌声だけが大きく聞こえました。

声の波は、兵隊さんの大集団の中で、右側の方が早く歌ったかと思うと、真ん中あたりの人たちがおそくなったり、途中でみんなが歌詞を忘れてしまって、急に歌声が小さくとぎれてしまったりしました。

長谷部先生が立ち上がって、手を大きく振りながらタクトを取りはじめました。

そのうちに奇抜な音色が加わったと思ったら、オルガンの傍らに一人の兵隊さんが立って、明笛《みんてき》（明楽に用いる横笛）を吹いているのでした。この人の心には郷里の夏の宵がよみがえっているのかも知れません。

一、春高楼の花の宴
　めぐる盃かげさして
　千代の松ケ枝わけいでし
　昔の光いまいずこ

二、秋陣営の霜の色
　鳴き行く雁の数みせて
　植うる剣に照りそいし
　昔の光いまいずこ

三、いま荒城の夜半の月
　替らぬ光誰がためぞ
　垣に残るはただかずら
　松に歌うはただ嵐

四、天上かげは替らねど
　栄枯はうつる世の姿
　うつさんとてか今もなお
　ああ荒城の夜半の月

（「荒城の月」作詞　土井晩翠、作曲　滝　廉太郎）

こうした歌には、内地での幼い頃の毎日が胸の中に帰って来て、戦地で歌う童謡には胸元に短刀でもつきつけられるような、鋭い何ものかがありました。

一、青い月夜の浜辺には
親をさがして泣く鳥が
波の国から生れ出る
ぬれた翼の銀の色
二、夜泣く鳥の悲しさは
親を尋ねて海こえて
月夜の国へ消えてゆく
銀の翼の浜千鳥

（「浜千鳥」作詞　鹿島鳴秋、作曲　弘田龍太郎）

誰の声も涙ぐんで、この歌の一節ずつが身にしみる思いです。

そして最後に、誰も心は全く幼児の昔にかえり、今は御国のために名誉ある戦場に立っている成長した自分の姿とひきくらべて、本当に涙して歌ったのは、臨時に加えられた「卒業式の歌」でした。

あの小学校を卒業した時の心、それが今この戦場で一人ひとりの胸にはっきりとよみがえって来るのです。

一、仰げば尊しわが師の恩
教えの庭にもはやいく歳
思えばいととしこの年月
今こそ別れめいざさらば
二、互いに睦みし日頃の恩
別るる後にもやよ忘るな
身を立て名をあげやよ励めよ
今こそ別れめいざさらば
三、朝夕馴れにし学びの窓
蛍のともしびつむ白雪

忘るる間ぞなきゆく年月
今こそ別れめいざさらば
（「仰げば尊し」作詞作曲 不詳）

終わって、部隊長殿に「本当に良いお考えでしたね」と申し上げると、部隊長殿はただ笑っていらっしゃいました。

二十二時過ぎにやっと宿舎に帰りました。

風呂につかりながら、今日一日の四つも五つもの会の一つひとつを思い返しましたが、この童謡の夕べだけは私の終生忘れることの出来ないものです。

この次にどこかでふとこの童謡の一つを口ずさんだならば、今日の心がきっとよみがえって来ることでしょう。それは私たちばかりでなく、今日の幾〔千〕人もの兵隊さんにも、おそらく同じように、いつの日か、戦場で郷里をしのんだ思い出として今日の感激をはっきりと想いおこさせつなぎ止める糸となることでしょう。

うっかりしているうちに、部隊に随分長い間御厄介になってしまいました。部隊長殿を父のように、兵隊さんたちを兄のように懐かしんで暮らしてしまいましたが、もう今日でお別れして、明日は更に前線の浙河《せっか》へ出発しなければなりません。暗いローソクの灯を見つめながらいろいろのことを次から次へと考えました。そうだ、まだゆっくりしてはいけないのです。明日の出発準備に荷物をまとめねばならないのです。

七月十三日

毎朝思うことですが、男の人は起きてから食堂へ出て行くまでに十五分もあれば充分なのですが、私たちはどんなに急いでも三十分はかかってしまいます。戦地へ来ると、女というものは実に厄介だとしみじみ考えてしまいます。

浙河へ向け八時半出発。トラックに乗るのが何だか随分久々のように思えます。

上村部隊長殿と北野〔副〕官殿は戦死された前の田中副官殿のお墓参りかたがた途中まで送って下さることになりました。

「さようなら、お元気で」「気をつけて行って下さい」、こんなことを道の両側に並んで送って下さる兵隊さんと、トラックの上の私たちとでさけび合いながら出発です。懐かしいこの部隊ともいよいよお別れです。万感胸にせまる思いです。

お別れに際して、部隊長殿や本部の皆さんが、

「こんなにまでして慰問してくれたのに、戦場のことで何も御褒美に上げるものがないが、何かないだろうか」

と考えて下さった末に、白いベンベルグの布が残っているから、というので、それに皆さんで寄せ書きをして下さいました。

部隊長殿の「忍」の字を中心に皆さんの思い思いの筆の跡は、何ものにも代えがたい良い記念でした。

自動車が十五分も走ったと思うと、道路からはるかに離れたところに白い墓標が見えて来ました。私たちは時間がないのでトラックを降りて道から最敬礼をしました。部隊長殿はそこから副官殿と一緒に、部隊本部の花壇から切っていらっしゃった美しいお花を持って、お歩きになりました。

私たちは自分の今の心をいい現す言葉もなくただ、

「部隊長殿どうぞお元気で……」

と申し上げました。部隊長殿はまた、私たちの細かいところまでも気を配って下さって、いろいろ温かいお言葉を下さいました。

トラックは相変わらずの悪路で速力も出ず、カブト虫のようにジリジリと進みます。前に進んでいるトラックを見ると、震動で上の人間が振り落とされはしないか、と思われるほどです。

私たちのこのトラックもあの通りなのでしょう。

ふと高地のパノラマ台のような所に出ました。右を見ても、左を見ても、見渡す限りの青田

防暑帽をかぶり炎暑のなかを最前線へ

が続き、それは濃尾平野の夏と少しも違いはない風景でした。これが支那なのか、と思わせるほどでした。

この丘陵地帯をぬけると、そこは馬坪《ばひょう》という部落でした。そこの木蔭に三十分ばかり涼をとり、再び震動のはげしいトラックで難行軍です。

十一時半、川俣部隊本部へ着きました。ここが私たちに許される範囲で最前線の部落なのです。すぐ部隊長殿に御挨拶して、〔御親影〕を拝し、御遺骨を拝しました。

郷里の村上さんから言づかった息子さんの御遺骨をさがしましたが、それはもうすでに内地のお母様の許へ帰りつつある道すがらだそうで、ここにはありませんでした。

溳水河《いんすいが》のほとり、一段と高い双鶴楼《そうかくろう》という高楼に立って見下ろすと、それは南画そのものの風景でした。美しい涓水河、ゆるやかな山の起伏、それが立ち上がる水蒸気に遠近をつけられてそびえ、全く四千年の歴史を物語るようでした。こんな風景の中に砲弾が飛び交うことがむしろ不思議でなりませんでした。しかし、ここがまさに第一線で、山の彼方を指さして、「あの辺が敵陣です」と副官殿が教えて下さいました。

部隊長殿は私たちの肩をさすりながら、

「本当にあなたたちは、ここまで来てくれたのですね。ここは遠い第一線なので、今まで慰問団が来てくれたことは一度もないのです。後方の漢口《かんこう》辺りまでは、随分みんなが来てくれるらしいのですがね。兵隊たちもさぞ喜ぶことでしょう。何しろ初めてなのですから。それに同じ〔郷土〕の顔を知っているお嬢さんたちなのだからなあ」

と言って喜んで下さいました。

「あれを随分前からみんなで作っていたのですよ」

とおっしゃる方を見ると、はるかの草原に大きな屋台が出来ていました。

二十時より演芸が始まりました。

アンペラ（むしろ）張りの舞台には、どなたがお作りになったのか、手際よくぼんぼりが出来ていて、今までのどの舞台よりも、最前線のこの舞台は手の込んだものでした。――それは花道がないだけで、歌舞伎の味を出した野外劇場とでも言えましょうか。

第一線の兵隊さんは、全く黒く陽に焼けて、どなたを見てもたくましい感じでした。沢山の兵隊さんたちは、アンペラだの紙切れだのを持って来て、見渡すかぎりの広さに席をとっていました。後の方は見ることが出来ないので、ドラム缶の上へ登ったり、トラックを持って来てその屋根へ登ったりして、「ここは特等席でしてなあ」とお山の大将をきめ込んだりしています。黒い顔と白いシャツ、カーキ色の軍服、ただそれが見渡すかぎり続いています。そしてほとんど全部の兵隊さんが持っているらしい日の丸の扇を、はたはたさせながら涼をとっています。扇が動くと、何しろ大変な数なので、それは桜の散るような美しさです。

次第に日没が近く、暗くなり始めると、やがてぼんぼりの灯がまたたきはじめました。いつもの通り、長谷部先生が名古屋市長からのメッセージを読み上げました。一瞬、扇の波も止んで、兵隊さんたちは姿勢を正して聞き入りました。

ここに集まった兵隊さんの全部といってもよいほどの人が、私たちと故郷を同じくし、〔年齢〕からいっても、私たちと〔ともに学〕んだ人たちが多いのです。

やがて私たちは一人ずつ舞台に上がって、自分の経歴を申し上げて自己紹介を兼ね、御挨拶をしました。私が、

「〔日置〕小学校出身です」

と申しますと、暗い遠くの方から大きな声で、

「俺もだぞ」

という声がしました。びっくりしましたが懐かしさがあふれました。

これが最前線の舞台なのだ、というひどく緊張した心で、演芸をやりました。

早川文子さんの日本舞踊、服部清子さんの新舞踊、浦川雪子さんの剣舞、永田雅楽子さんと中山三千子さんの新舞踊、そして私の藤娘をお目にかけました。十八から二十二歳までの可愛い人たちがぼんぼりの舞台で舞う姿は、しみじみと内地の味で、たった二か月の戦場生活しかしていない私ですらそれはひどく懐かしい感じでした。

終わりにはまた、いつものように第〔三〕師団進軍歌と愛国行進曲の合唱です。

第〔三〕師団進軍歌の歌詞は、いつの場合でも私たちの兵隊さんたちの心をいたぶる何かを持っていました。この歌を歌うと、最後には感激が高まって、誰も彼もが涙声になってしまうのが常でした。特に最前線ではみんなすっかり昂奮してしまって、同じ歌をいつまでも、何度も繰り返して歌い続けたのでした。

宿舎へ帰る暗い道で、御近所から出征された田中さんに逢いました。白い病衣でしたのでびっくりしましたが、「マラリヤ（ハマダラカの媒介する伝染病で高熱などの発作を起こす）の軽いので、今日は熱の出ない日だから、あなたたちの演芸を見に来たのです」と言っていらっしゃいました。

宿舎には、私が内地で兄のように慕っていた門彌さんからの手紙を、吉田軍曹殿が持って来て待っていて下さいました。

門彌さんが出征されて、もう二年にもなります。出征したあの日のことも昨日のように覚えていますし、その後もお手紙ははげしく通い続けていました。

ああ、門彌さんのいる所も近いのです。内地で見れば一片の紙切れに過ぎないこの手紙も戦地で見れば、私に沢山の言葉を話しかけ、息のつまるものがあります。

吉田さんのお話によりますと、門彌さんの部隊は今朝までここにいらっしゃったのだそうですが、私たちの着く二時間位前に、前線へ向けて出発されたのだそうです。

私たちが途中雨のために遅れた四日間が、ひどくうらめしく思われました。

もう、これで門彌さんには逢えないのではないでしょうか。門彌さんも私もお国に捧げた体で私事を考えては居られないのですが、お逢い出来るならば、どんなにしてでもお逢いしたくてたまりません。神様の意志によるより外はないでしょう。

私ががっかりしていると、吉田軍曹殿が「何とかして連絡はつくと思います」と言って下さる。そのお言葉が唯一の頼りです。

応山を出る時に頂戴した蜜柑の缶詰がありましたので、吉田軍曹殿と二人して分けて食べました。吉田軍曹殿は、

「今日はこんなに元気ですが、明日はまたマラリヤの熱の出る日ですから、一日布団をかぶっ

て寝なければなりません」

と言っていました。私たちも何とかしてマラリヤにかからないで、済ましたいと思います。門彌さんのことですっかり感傷にとらわれていると、夕食に行く廊下でぱったりと、長谷川上等兵にお逢いすることが出来ました。長谷川さんのお家も私の家のすぐ御近所で、幼い時から知っている人なのです。さっそくお母様からお預かりして行ったお便りを差し上げますと、とても嬉しそうな顔をして、にっと笑いながら、

「ありがとう」

と何もかもの感情を一つにしたような複雑な表情で、そう言われました。

この人とは小学校の一年生の時から六年までずっと同級でした。どちらかといえばおとなし過ぎるほどの人でしたのに、今では全く見違えるようなたくましさでした。本当に男の人が羨ましくなりました。

私はふと小さい頃に、みんなで長谷川さんをいじめたのを思い出しました。

「梅津（長谷川さんの旧姓です）の頭に禿《はげ》がある。一銭銅貨の禿がある。という歌を覚えている」ときききましたら、

「あんなくやしい歌を忘れるものですか」

「えらいわねえ」

といいましたら、

「ひどいなあ、戦地へまで来てまだそんなことを言っている」

と大笑いになりました。本部から裏へ通じる細い路の壁に背をもたせながら、全く二人とも小学校へ通った頃と同じ心で、いろいろなことを話し合いました。内地の御自分の家の様子をお話してあげると、本当に安心したようでした。このときこんなに喜んでくれたこの人も一か月ほど後の戦闘で戦死してしまいました。

〔だんだん兵隊さんの持つ純真さに近くなって行くようです。

昨日もある兵隊さんが、

「日本の、それも戦線にいる兵は単純だから強いんです。

突っ込め、と日常訓練されますが、それが敵陣であろうとどこであろうと、その号令を聞いたら突っ込んで行くだけですが、その単純さが非常な強さを持っているのです」

と話してくれましたが、それは実際だと思いました。

内地の人もよき指導者を得て、右を向け、といわれたら右を向き、働けといわれたら、ただひたむきにその指示された方向に向いて進んで行くだけの単純で忍耐のある人ばかりになったら、本当に恐ろしい国家ができるのではないかと思ってみました。〕

夕飯はまた、あの風景の美しい双鶴楼でした。兵隊さんの御好意のお料理を、美食美酒として、この高楼に宴を張る私たちは、本当に第一線にいるとは思えない静かさで幸福でした。私たちはいつも食事のたびに、残すともったいないので兵隊さんに少し下さるようにお願いするのですが、ここでも初めにお願いしておいたのに、食器一杯盛ってあります。手をつけないうちにお返ししようと思いますと、

「いらなければ残しておいて下さい。その方がかえって良いです」

と言われました。残飯は大切にして宣撫の意味で難民にやるのだそうです。

食事の終わる頃、なるほど沢山の子供が手籠を持って集まって来ました。この御飯を、水で洗って日光に干し、再びお粥にするのだそうです。こうした食物で生きて行かれる中国農民の、雑草のようなたくましさには、感服するばかりです。

〔今日ここに来る途中、浙河の見えはじめたころに、今にも崩れかけてしまうような家に中国人がいっぱいいるのを見ました。

ここは浙河の難民区なのだそうです。

女の人と子供とやせた男の人の多いのが目につきました。土で作った小さい家によくこんなに入りきると思うほどの大勢です。私は思わず、

「どうして寝るのかしら」

と言って兵隊さんに笑われてしまいました。三畳と三畳半ぐらいのところに、畳などのもち

ろんない土間ですが、そこへ二十人ぐらいいると聞けば、誰だってそう思いませんかしら。そうして子供たちは、私たちが珍しいのか大人たちのすき間から何ともいえない可愛い顔でぼんやり見ていました。」

最前線についた第一夜は、部隊本部の一隅を宿舎にいただいて、早く床につきました。歩哨の兵隊さんの軍靴の音が聞こえていました。

第一線の郷土部隊

七月十四日

昨夜はなかなか眠られず困りました。暑いためばかりでなく、あまりにも厳しい現実の世界を戦いぬいている兵隊さんを見続けて来たからかも知れません。

こちらへ来てから、それも前線へ出れば出るほど、人間の善さに哭き、醜さに憤る、激しい偽りのない感情を抑えつけることが出来なくなってしまい、思ったままを赤裸々に叩きつけてしまいますが、内地へ帰っても、これはとり去ることは出来ないだろうと思いますとちょっと恐ろしい気がしました。

私は本部の事務室のすぐ横の部屋でやすみます。いつもは副官殿がいらっしゃる所とか聞いておりますが、私たちのために皆さんはどこかへ遠慮して下さっているので、ここは女ばかりです。すぐ裏に無電の兵隊さんがいるようですが、入口が向こう側にあるのか、こちらへ来たところをほとんど見たことがありませんでした。

昨夜もどこからか電話がかかって参りました。初めはどうしようかと思っておりましたが、一向兵隊さんが来てくれる様子もありませんし、ベルはけたたましく鳴っています。仕方がないので寝巻のままドアをあけて、受話器をはずしました。

すぐ向こうから

「本部ですか、部隊本部ですか」

兵隊さんのすごい声が聞こえて来ました。私は、

「本部です」

といいましたが、こちらが女の声なので、幾度も、

「本部ですか本部ですか」

と、繰り返し繰り返し言って来ます。私は何と言ってよいのか分かりませんし、またこんな夜半にかかる電話なので、急用だと思いますとよけいにいらいらして、「わからない兵隊さんだなあ」と思いながら、

「今兵隊さんと代わりますから……」

といいましたら、やっと解ったのか、

「ああ、昼間の女子青年団の人ですね」

とようやく日本人に認めてもらいました。その兵隊さんは、

「どこが出たのかと、自分の耳を思い切り電話機にあてましたが、いやあ、失敗でした」と大笑いになりましたが、その時はどうしようかと、本当に苦しいものでした。もし、この電話が遅れたばかりに、私たちの尊い兵隊さんの生命にかかわることになっては、と思いましたが幸い他の用事のようでした。

こんなことがあって、寝不足の翌朝は九時より浙河《せっか》にある第四野戦病院小田倉部隊へまいりました。

ずっと、幾棟かの支那家屋の病棟を一通り慰問して、ある小さな薄暗い部屋の、小さな木の寝台に青ざめた支那の女の人をみかけました。これだけなら別に珍しいことではありませんが、その傍らに十四、五歳の小柄な男の子が一生懸命看護しているのが、何か、その辺の空気と妙にそぐわないものを感じさせせました。

私は「どうした者でしょう」と御一緒に来て下さった部隊長殿に伺いましたら、「つい先日、井戸端で洗濯をしている所を、手榴弾を投げつけられて腹部を負傷したのですが、可哀相なの

でここへ収容してやりました。あの小さな子は寝ている人の旦那さんですよ」といって教えて下さいました。

あの小さい子が、あれでも一人前の夫なのかと、今更のように見直してみました。なんだかおかしいような気がしたので、そうっと後からのぞいて見ましたら、まだ可愛い男の子でした。

随県《ずいけん》へは今日の十五時に出発の予定でしたが、川俣部隊長殿が、

「こんな一番暑い時に、トラックへ可愛い娘さんたちを乗せることなど出来ないから、加藤隊へ電話して、十七時以後に行きなさい」

といって下さったので、また防暑帽と四つにとりくんでの難行軍かと思っていました私たちは、このお言葉を聞いた時は嬉しくなりました。どうせ早く伺っても、御慰問させて頂くのは、ちょっと陽ざしが落ちてからなのですから、本当に十七時以後なら助かると思いました。

大陸へ来ると、どうしてこんなに眠いのかと思えるほど眠いのは、われながらあきれるほどですが、体が疲れすぎる故なのかとも思いました。それで、ちょっとだけ、夜眠れない分を取り返しておこうと思って自分の部屋に入りましたが、吉田軍曹殿がいらっしゃったので、またすぐ起きてしまいました。この時には、お友達ほどいいものはなく、また面倒くさいものはないと思いました。

十七時です。あまり遅くなってもと思い、トラックに乗り〔随県〕へ向かいました。その途中、

「あれが〔廻龍寺〕ですよ」

と兵隊さんが教えて下さった方に目を移すと、森に囲まれた小さな部落のとても美しい塔が、左手に見えました。日本の五重塔よりも素朴で手のこんでいない、支那の塔は大陸の空の色とぴったりしていました。私は支那の風景の美しさを問われたら、その一つに答えてよいと思いました。ここは敵軍と半年余りも相対していた所と聞きましたが、今では嘘と思われるほど静かな稲田が続いています。

〔西安〕に通じる軍公路を西北西に車は進みます。

三十分ほどして〔随県〕の城外、支那家屋の立ち並ぶ一角へ出ました。

ここまで来てもまだ、本当の戦闘をしている兵隊さんの姿をみることは出来ませんが、内地で想像する以上に生々しい、戦場の静けさとでもいいますか、すべてのものが実に緊張しています。

この街は、煉瓦の一つひとつまでが打ちくだかれ、一軒として満足な家はありません。天井裏に張ってあったのでしょうが、新聞紙がちょうど、私たちが七夕祭につるす短冊のように室中一杯ぶら下がって、壊れた家屋の惨めさを物語っていました。

こんなにも破壊された死のような街の家に、戸棚やら瓶やらがほこりにまみれて置いてあったりすると、これでも人が住んで居たのかと、痛ましいようにさえ思いました。

最前線　人気の消えた随県城内

城門に近づくに従って細い路はいよいよ狭くなり、トラックに立っていると両側の軒に体をぶっつけそうです。城門が見えた時、私は何だか、がっかりしたような気が致しました。それはやっと私たちに許される範囲の最前線まで健康で来られたという喜びよりも、〔随県〕までは、〔随県〕まではと張りつめていた心を、もう明日からは持つことが出来ない淋しさからでした。

この、何とも言えない今の気持ちは、たまらないものでした。

でも、嬉しいことはもうじっとしては居られないほど、嬉しゅうございました。

君たちは本当に来てくれた

城内へ入ると、両側とも兵隊さんの宿舎らしく、真っ黒な裸の兵隊さんがあっちからもこっちからもぞくぞく飛び出して来て、道一杯になってしまいました。

「やっと来た」とか、

「上陸以来日本の女の人を初めて見た」とか、

「本当に来てくれたぞ」とか。

私たちを迎えて下さった時はもう、何もいう言葉がなく、私たちの顔は感激の涙にゆがみ、ただむやみにトラックの上から手を降りました。ふとみると、兵隊さんの顔も涙で光っていました。

加藤部隊本部は中学校跡の建物を使用しておられました。立派な建物です。

ベランダがあり、美しい花園のある中庭まで持った広々とした学校で、こうした所で勉強をしていた中学生も、今はどうしているのでしょうか。

二十時より演芸を始めました。

広場を区切って城壁をバックに持った、すばらしい舞台です。

到底慰問団の行かれない、最前線の敵と対している壕の中の兵隊さんを慰問するために、あらゆる職業の人たちがいる軍隊では、面白いことにそうした専門家が集まって兵隊さんの中から兵隊さんの慰問隊が作られています。

ちょうど、その人たちが前線を回って今日帰って来られたので、ここの部隊を慰問するためもありましたが私たちにも見せて下さいました。

歌謡曲を歌う兵隊さんは愛庭《あいば》一郎さんという人で、内地にいらっしゃった時はレコード会社専属の歌手だったそうです。その人が、何の伴奏もなく、軍服を着たひげだらけの兵隊さんになって歌うのですが、内地で聞き馴れたいくつもの歌も混じって、懐かしいものでした。

次は舞台劇です。その小道具というのが、また前線だけで見られる面白いものでした。瓢箪《ひょうたん》のような中央のくびれた南瓜《かぼちゃ》に目やら口やらを書き、これを赤ちゃんにして、紺色のズボンのような支那服をももひきに見立てて、合羽は風呂敷のようなものを使って、刀は歩兵のつけている短い剣を腰にさし、土民（中国の農民）の笠を持って「赤城の子守歌」の板割浅太郎を演じるのです。

熊手のような手をしなわせて、おけさを踊って下さったり、広瀬部隊長の浪曲やらがあり、いろいろなかくし芸の続出でした。それは原始に近いような表現であっても、何一つ慰安のない前線では、これによって、内地のどんな素晴らしい舞台を見るよりも、楽しみ、満たされているのでしょう。

私たちがどこの部隊へ行っても、郷土の兵隊さんを前にして歌うものに「郷土だより」があります。その歌は懐かしい故郷を最も身近に引きよせるのか、どこの部隊でも、舞台の前の兵隊さんたちはきっと涙をためて懐かしがって下さるものなのです。

一、熱田の宮の人の波
　杜《もり》にこだまの柏手が
　遠いそちらへ響くでしょう
　心一すじみんなして
　いつも武運を祈ります
二、やけつくような大陸へ
　せめて駿河の茶の香り
　富士の白雪、わさび漬
　赤い蜜柑もおくりたい
　日毎いいます想います

三、おせどの柿も熟れました
どこもせわしい穫入も
みんな励まし助けあい
稲のみのりで国債も
ほめて下さい買いました
四、銃後も同じ国の盾
守る心が何変ろ
女子供ももろともに
勝ってかぶとの長期戦
みんな覚悟をしています
（「郷土だより」）

この歌の今日の感激は、今までのどこにも増して高潮でした。血なまぐさい最前線のことでもあり、今まで一度も慰問団の訪れたことのない兵隊さんたちなのですもの。おそらくは今日だけは故郷の親たちのこと、子供のこと、それが自分たちの幼い頃から今日までの故郷に残した思い出と共に誰の胸にもこみ上げて来て、胸一ぱいになっていることでしょう。

兵隊さんが舞台へ飛び入り

最前線であるということは、感情の強さも弱さも、極点から極点へぴりぴりと動いているのです。私たちまでが全くその渦巻きの中にあります。

ここの部隊で私たちが頂戴しているお部屋はとても暑いので、今夜は到底眠れないと思いました。それに便所が遠いのにはちょっと辟易です。部屋から五十米《メートル》くらいあるのです。夜など、真っ暗な兵舎の間を抜け、それから草原を横切って行くのですが、カサッと草のゆれる音にも、ドキンとして立ち止まるほど、恐ろしいのでした。

「お年寄りなら、行って帰ってくるとまた行きたくなるくらいね」と言いますと、皆で大笑いになりました。

暑くて眠られないので、中央の庭へ椅子を

持って出ましたら、部隊長殿や、林中〔尉〕殿、下島少〔尉〕殿もいらっしゃいまして、御一緒にお話し致しました。

上海戦の頃のことになりますと、聞かせて頂いている者も、お話して下さる方も熱中して、部隊長殿などは御自分でお話に感激して、涙を流していらっしゃいました。

今夜は雲一つなく、天の川がさっと一刷毛銀砂子をはいたように美しく輝いています。あまりにも文明の光に馴れすぎて、星の美しさを忘れかけていた私は、戦地へ来てローソクとランプの他に光のない、夜の空の神秘的な美しさに、「神様って、こんなすばらしいものを、どうしてお作りになったのかしら」と思いました。

お墓の土を掬い取って

七月十五日

随分ゆっくりやすませていただきました。顔を洗いに兵隊さんのいる所へ行くのも、恥かしいくらいです。

ここにはきれいな水の出る井戸があります。幾度も幾度も手を洗いました。汚れているからではなくて、新しい水を汲んでは、その中に手を突っ込んでいるのが嬉しいからでした。冷たいこの水にじっと顔をつけていると、家へ帰ったような気持ちになるのでした。

九時半頃より、津田曹長殿に戦跡を見せて頂きました。

カンカン照りつける路をゆきました。途中に道路一杯にあいた深い大穴がありました。爆撃の跡なのだそうですが、こんなのがたった一つでも私たちの街にあいたらと思いましたら、ぞっとしました。

「我が軍は、ほとんど道路を壊すような爆撃はしません。道路の両側へ落とせば、そこを行く兵馬は完全に殺傷できるのですから、友軍の追撃に邪魔になるような、そんな不正確な爆撃はしません」

と聞かせて下さいました。ただ爆撃といえば、頭の上からドシンドシンやるのかと思っていた私は、皇軍の用意周到さによけい偉さを感じました。

〔随県〕図書館へ出ました。〔「皇軍の入城したころは、それはすばらしい書籍が一杯ありました」と兵隊がいいました。〕

ここはちょっと小高い丘になっています。ここへ来る途中、破れた壁に真っ黄色な南瓜の花が咲いていました。

そこから南門へ行き、城外を見ました。まだ城内へ住民の帰ることは許されていないとかで、この城外の半分崩れかけた家に、五人、三人と暮らしている様子です。本当に雨露を凌ぐという程度のものです。この人たちに二度とこんな生活をさせないためにも、この戦争を勝ち抜き、平和な世にしなければならないのです。

その中に際立っているのは、真夏の太陽の下に青くギラギラ光る、フランスの天主堂だけです。まだガラスが入っていないようでした。草いきれがするということをよく聞きますが、本当に気がどうかなってしまうほど、蒸し暑いものです。

背ほどもある雑草をかきわけながらゆきますと、昨夜降りた霜がみんなお湯になってしまったのではないかと思われるほど、足の方からも、背中の方からも、前からも、暑い風が一時に襲いかかってまるで、お風呂の中を歩いているようです。それがどこまでもどこまでも続きます。もう暑いと口にするのさえ億劫です。そうした中を北門へ行きました。

ここへ来るまでの間、機関銃座も、交通壕も、まだ戦ったままでありましたが、新占領地ということが良く感じられました。北門の望楼に登ると、今までの暑さも消しとぶ様な涼風に、何とか人心地がつきました。

兵隊さんが、私たちの苦しそうな顔を見て、下から熱いお湯を持ってきて下さいましたが、全く自分であきれるほどよく飲みました。

「下痢をするといけないから、そんなに飲んではいけない」

「もう、いけません」

といって下さるのですが、どうしても駄目です。兵隊さんも、

「仕様がないな。じゃ、これを入れて飲みなさい。大切な薬なんだけれど」

と、何だか梅酢のような香りのする薬を少しずつ入れて下さいました。ちょっとお腹の痛くなりそうな茶色のものが沈殿していました。行軍中の兵隊さんがクリークの水は悪いと知りながらも飲む気持ちが、胸にズキンズキンとするほどよくわかります。

津田曹長殿がいろいろ説明して下さいます。

「左の方にあるピラミッド型の丘は、つい昨日敵襲があって、砲兵隊まで活躍しました」といわれました。ほんのすぐ前の丘ですのに、こんな所まで反撃するとは敵ながら天晴れと言いたいほどでした。

「これからの作戦上、ここは一番大切な所です。敵も今は盛んに兵を集結中ですから、再び彼我の交戦地となるでしょう」

とも言っておられました。

この辺は、嵐の前の静けさとでもいいますか、内地と変わらず平和な姿そのものです。それでも、電線がほとんど毎晩といってよいほど切られるそうです。今朝も一名捕まって、本部の裏に縛られているのをみました。

北門の城壁に沿って、福音堂というイギリスの天主堂があります。今は難民が大勢収容されているのだそうですが、皇軍の急迫のため逃げ後れた敵が、便衣（普段着）と着がえてこの中にかくれ、密偵（スパイ）を働いたとかいうことです。

「実に手こずりましたよ」と一緒にいた兵隊さんは言いました。

こうした外国権益のため、皇軍はどんなになやまされたでしょう。考えるだけでも腹がたちます。そしてこんな奥地まで、それも、おそらく今まで日本人は一人として来ていないと思われるこんな所まで、宣撫に、抗日に、反日に奔走したイギリスの浸潤力というか、彼等の東洋への謀略というものをしみじみと見せつけられました。

城門から少し外へ出てみたいと思いましたが、「部隊長殿から絶対に外へ出してはいけない」といいつかって来ましたからと、津田曹長殿がおっしゃいましたので、ほんの五、六歩先の日蔭へ行って、腰を下ろそうとしましたら、

「むやみに歩いてはいけません。どこに手榴弾や地雷があるかわからないのに」

と言われ、私たちは思わず、びっくりして飛びのきました。

十二時半頃に本部へ帰りました。十五時半から、郷土の勇士にお目にかかり、お言づけやらお手紙を預かりました。この兵隊さんたちは、もっと前線からわざわざ来て下さったのです。

「もう少し、ゆっくりなさっていらしては」と申しましたが、「日が暮れますと、少人数では

帰る途中が危険ですから」と、いかにも名残り惜しげにかえってゆかれるのを見ていますと、出来ることなら私たちも御一緒に行って、その第一線に戦っている兵隊さんに、「御苦労様、有難うございます」と、言いたいのです。

「これから三里帰る」

「三里歩いて帰る」

と言われますと、涙の出るほどもったいない気がして、銃を担い、日除布をたらした兵隊さんの後姿を拝みたくなります。

あらゆる階級の人が、あらゆる自我を没却して、一律の軍服に身をかためた神々しさ。懐かしい故郷も、身内の人も、お友達も持っているでしょうこの人たち。

その一人ひとりが、銃を担い、悪疫と闘い、天皇陛下の御為、祖国のためにどんな危険な場所へも断乎として進んで行く男らしさを、この兵隊さんたちからひしひしと押しかぶせられる時、本当に神秘的な尊さを感じずにはいられません。

十八時半に出発のために大急ぎで荷物をかたづけ、部隊長殿と御一緒に玄関で記念の写真をとりました。

腰かけも何もないトラックで、道が曲がるたびに首をひょいとちぢこめなければならないほど、ごみごみした所を通り抜け〔浙河《せっか》〕へ向かいました。

ここで車から降りて、私たちを迎えに来て下さった川俣部隊の西岡副官殿より、この辺の大戦闘のお話を伺いました。五個師からの敵の大軍と相対した我が皇軍は大分死傷者を出したのだそうです。

今、私たちが立っている草むらでも、激しい戦いが繰り返されたことを思いますと、本当に感慨無量というよりほかにございません。

赤座大尉殿の戦死された所が、丘一つ越えた二千米《メートル》東北方にあります。赤座大尉殿のお父様のお店が、私のすぐ御近所にございます。ぜひお参りさせて頂きたいので、副官殿と兵隊さんと団長と私たちは、細い山路を登って行きました。すぐ近くだと思っていた丘は随分ありました。少し高くなったこの辺は、敵がいっぱいいた所だそうです。ちょっとした木立を通り抜けると、浙河の街はすぐ目の下に見え始めました。大別山の峻険を後にした盆地に横たわる浙河は、全く敵の目標にはちょうどよい地点です。

河を隔ててこの高地占領までは、私たちの素晴らしくたくましい兵隊さんたちの赤誠と忍耐と憤激の攻撃が続けられたことでしょう。

まだ一か月前までは、この丘は危険で登れなかったそうです。兵隊さんが稜線へ姿を見せると、必ず撃って来たそうです。赤座大尉殿のお父様も、県会議員慰問団として、この山の下まで息子さんの墓を訪ねて、はるばるいらっしゃいましたが、その時は危険で山上の墓標までいらっしゃれなかったそうです。慰問団として、初めてお参りさせて頂く私たちは、何となく胸迫る思いが致しました。

「赤座大尉殿は、実に勇気のある立派な方でした」

「万全の用意をして待っている広西軍へ、当然予期さるべき危険も、何もかも打ち捨てて、悠々と身をさらして行かれた勇敢な突撃の姿がはっきり眼に残っています」と兵隊さんは言いました。

「五日目にやっとここを占領することができました。皇軍が攻撃してこれなんですから、どれほどの激戦が展開されたか、わかるでしょう」と、副官殿は言われました。

それほど尊い兵隊さんを、たった一発の弾丸のために、むざむざ戦死させてしまったのかと思いますと、口惜しいというより、どうしてそんなに強い兵隊さんが、とわからなくなってしまいます。

用意も何もない私たちは、途中、背ほどもある涼しそうな雑草を一抱えほど折りとって、お墓へ水筒のお湯と一緒にお供え致しました。

私は何も言うことができずただ黙って、お辞儀をしました。何か口にすれば、涙が出そうでしたから。

御国の御楯となって、立派な最期を遂げられた大尉殿も、今は弾丸の音一つしないこの丘に、

安らかに眠っていらっしゃると思いますと、たしか小さなお子さんがおありと思いましたが、その幼いお子さんに、

「お父様はここにいらっしゃるのよ」

と、小さな手を合わせてあげられないのが残念に思えました。

もうこれで一生お参り出来ないと思いますと、立ち去りがたい気が致しました。

故国の肉親の方々にと、お墓の土をすくい取って名刺の箱におさめました。

雨のために幾分は埋められた交通壕も、お墓をそのまま機銃座に利用したのも、今は昔の面影をとどめるにすぎません。大尉殿の御霊の安らかにあれと祈りました。

門彌さん

七月十六日

出発までにちょっと時間がありましたので、先日来の日記の整理やらお手紙をかきました。漢口を出て以来、ローソクとランプで過ごす毎夜が続いています。ローソクやらランプさえ、許された範囲の最大の贅沢なのです。空き缶の一方を切りとって、下から釘をさしたローソク

立てのある所などは、まだよい所です。

私は、ランプはここへ来て初めて見ました。昨夜も日記をつけていて何かの拍子で消してしまい、まだ時間も早いようですし寝るのも惜しい気がするのですが、つけ方が分からないので、真っ暗な路を通り炊事場まで行ってランプをつけて頂きました。

「女の人がランプのつけ方ぐらい知らないでいけないなあ」と炊事の兵隊さんに笑われてしまいました。私たちは大正の生まれですもの、ランプなどはお芝居以外に見ることなんかなく、ここが初めてですといいましたら、その兵隊さんも、

「実は初めは私たちも知らなかった。芯を切りすぎたり、ホヤ（ランプの火を覆うガラス製の筒）を割ったりして難儀しましたよ」といいました。

この暗さにも、この頃は随分馴れました。電灯がどんな明るさだったかさえ、今では忘れてしまいました。

十時頃に馬鞍山へ向かいました。四十分ほどの行程ですが、山間の道を行く時などは信州辺りの夏を思い出しました。

間宮隊本部です。支那家屋を改造した低い天井で、これが部隊長殿のお部屋かとさえ思われる粗末なものでした。お隣のお部屋に小さな鏡が掛けてありましたが、何だかほほえましくなって来て、兵隊さんも神様でなく、やっぱり兵隊さんだなあと思いました。

少し休んでから、荷物の整理に外へ出ました。昨夜吉田軍曹殿から連絡をつけておいて頂いているので、門彌さんは来ていて下さるはずと思い、お部屋の前の細い路を低い土壁に沿って表の方へ行こうとしたら、向こうから背の高いやせた真っ黒な兵隊さんが、図嚢《ずのう》（地図などを入れ腰にさげる小型かばん）を下げてこちらへ歩いて来ます。何だか門彌さんによく似た人だとは思いましたが、それにしてはちょっとお爺さんすぎる様な気がして違った人かとも思いました。向こうも半信半疑といったふうで、声をかけるでもなく一歩一歩こちらへ歩いてきます。あと五、六歩という所ではっきりと分かりました。

「あっ」

といったまま私は何も言えず、しばらくぼんやりしてしまいました。

逢えたことの喜びというのか、懐かしさというのか、私には何もわからなくて、ただ、この人が門彌さんなのだ、と思い込むことで一杯でした。他の兵隊さんが見ていなければ、そのまわっと泣いてしまったかも知れません。小さな時分から仲良しで、よく可愛がって頂いて、やんちゃもいい、わがままもいい、まるで肉親の兄の様な親しさであったこの人も、聖戦が始まるや、召されて一人の兵隊さんとしてこの大陸へ来たのです。

出征した日は、ちょうどこのような暑さの続く八月の終わり頃でした。浄心から名古屋城まで歩いて送ったあの暑かった日が、つい昨日のことのように思われますのに、もうあれから三年もたっていました。

「父からの手紙で、君たちの来ていることは知っていたが、せいぜい漢口までぐらいと思っていたのに、よくこんな山の中までやって来たね」

と、門彌さんは言いました。

あの、いつも洒落と悪口ばかり言っていた門彌さんでなく、三年の歳月は門彌さんを崇高なものにしていました。今までこんな人が自分の身近にいたのかしらと思えるほどでした。お父さんからお預かりして来たものは大切に、私は木綿の腹巻へ入れていました。毎日慰問が済んで帰って来ると、汗でベタンベタンにくっついてしまって、いつも重しをしては乾かしていたので、何ともいえない臭いのするようになっていました。私の母からの成田様のお守りもお言づけと一緒に出しました。

「有難う」

と、何の飾りつけもない、たった一言でした。感情の高まっている時、それは決して多くの言葉を必要としないものでした。だまって、こうしてお互いを見ているだけで心が一杯で、頭は空虚のようでした。

しばらく時がすぎて、二人についてはは関係のない近所のことなどを、ぽつぽつと口にしはじめると、慰問演芸をやる時間になった、と告げに来て下さいました。

「正午まで待っていて下さい」

私は門彌さんに約束をして、舞台に出ました。正午になったら、喋れるだけ喋ろうと思いました。

ここの演芸場は、舞台も何もなく、山の上をちょっと平らにした上へ毛布を敷いてあるきりで、うっかりするとつまずきそうになります。

終わりますと、大急ぎで本部へ戻り、再び門彌さんを呼んで頂きましたら、門彌さんのいる両神廟は今夜あたり敵襲があるかも知れないというので、トラックの連絡があったのを幸いに部下の人たちと帰ってしまった、と当番の森川さんが言伝《ことづ》てを持って来てくれました。

あんなにあんなに、今夜は浙河へ行って、吉田軍曹殿と御一緒に門彌さんの好きなお抹茶を頂きながら、眠らずに話し明かそうと思っていましたのに……。

もう、これでいつ逢えるかわからない。

と、哀しくなって来ました。いいえ、これが戦場なのです。

同じ中隊に三か年ぐらいもいる兄弟でさえ、顔を合わせることが出来ない、というお話を聞いたこともあるのに、たとえ五分でも十分でも、元気な姿を見て話したのは幸いだ、と思ってあきらめました。

どうにも仕様のない淋しい気持ちを引き立てて当番の森川上等兵にお願いして、やっとここまで持って来ることが出来たお抹茶と、お茶せんと、お菓子を前線の門彌さんの宿舎まで届けて頂くことにしました。

それを渡して喜んで頂きたいと思っていたのに、何とも残念でした。

今度は元気で立派に凱旋して頂くことこそ、私の願いです。

間宮隊では、門彌さんはいつも私の手紙が行くたびに、これは僕の妹だ、とか言っていらっしゃるそうで、大勢の兵隊さんが私をよく知っていて下さいました。

そのうちに、上田中尉殿の御案内で、本部の監視所のある三丁（約三〇〇メートル）ほど先の小高い丘に登りました。この丘は遠くからみると、ちょうど中ほどが少しくぼんで、馬の鞍をおくところのようなので、馬鞍山《ばあんざん》というのだと教えて下さいました。

崩れかかった壕の銃眼から、兵隊さんが見張っています。緑の多いこの辺の丘陵地帯は、夕立の来そうな今日のお天気に霞んで、はっきり見ることは出来ません。この視野の狭い中から、一人の敵兵も逃すまいとする、ここの兵隊さんの努力は誰も知らない困難さだと思いました。

私たちは思いきり丁寧に、

「御苦労様、有難うございます」

と、言いました。

上田中尉殿は、

馬鞍山の砦より遠く浙河を臨む

「すぐそこに敵がいます。盛んに動いている様ですから、今夜あたりは危ないかも知れませんね」と言っていました。

やはり夕立が猛烈に降り出しました。大急ぎで本部へ、そして夕方浙河へ帰りました。汗でずくずくになった私たちは、兵隊さんの好意のお湯へ、さっそく入らせて頂きました。

ここのお風呂場は、日本式に出来ていて天窓も設けてありますので、とても明るいよい感じです。

溳水河《いんすいが》の美しい水で沸かして下さるこのお湯に、じっと体を浸していますと、足の先まで透き通って、本当にのびのびした気持ちになることが出来ました。

天井の真新しい木の組み方が、そのままお

湯に映って、私の胸の鼓動の通りにユラユラ動いています。この浴槽に映る寄木細工のような天井板を、私は自分の波紋でくずすまいとしてじっと息をつめてみたり、心臓を思いきりギュッと手で押さえてみても、やっぱり私の心臓は意地悪そうに一定の間をおいてどきどきと打っています。そのたびにせっかく出来かかったお湯の中のモザイクがこわれてしまいます。どうしても止まらないこの心臓がたった一発の弾丸で止まってしまうのかと思いますとなんだか嘘のように思われて、死ぬということを信じることが出来ないような気持ちです。

夜は吉田軍曹殿が来て下さいました。

ただ門彌さんの親友というだけで、初めての人にこんなに何でも言えるのも、戦場の故だと思いました。

森川さんに、いろいろお願いして来たことをいいましたら、

「門ちゃんも来ると思って待っていたのに、何だ、遠来の賓客を一人で帰してよこすなんて、ひどいなあ、だけど今頃は大喜びで食べてるぞ」

貯金も、お小遣いも、全部二人おもやい（共同で使うこと）とかいっていましたが、こんなすばらしく悠々とした戦場で、こんなすばらしい戦友を持っているなんて、門彌さんを羨ましい限りだと思いました。

事によると、今頃、門彌さんは敵襲を受けて戦っているかも知れません。そのためか、何か

寝苦しいようです。

戦況

七月十七日

今朝から、将校伝令の新井さんという兵隊さんが、私の部屋の前を幾度も通りますので、何か用事かしら、と思って声をかけましたら、

「済みませんが、鏡をかして下さい」

といいます。私は何気なく、鏡を持って部屋の外へ出ましたが、新井さんの顔を見た瞬間、噴き出してしまいました。

「戦友がみんな笑いますし、岩佐さんも笑いますけど、おかしいですか」と真面目に言い直すので、余計におかしくなって、鏡を見せてあげました。途端に新井さんも、

「わあァ」

と笑い出してしまいました。昨夜、炊事の皆さんとお話をしていた時に、新井さんがアセモができて仕様がないけど、女子青年団の人々はできませんか、と言われたので、それなら、

亜鉛華《あえんか》（酸化亜鉛。白色顔料・化粧品・医薬品などに用いる）がいいでしょうと、持ち合わせのを少しさしあげましたのを、早く治そうとでも思ったのでしょうか、顔から首までとても真っ白に、まるでメリケン粉（小麦粉）の中から出て来たように、つけています。

真っ黒な顔なので、それがねずみ色に変わっていたのでした。

「戦友に言われて洗ったのですが、ちっとも落ちません。これでは部隊長殿へ食事も持って行かれません。ひどいものをくれちゃって、処置なしですよ。何とかして下さい」といって泣きそうな声です。

コールドクリームを出して、

「これで拭いていらっしゃい」

と言いましたら、

「今度はバターの様なやつですね。何だかニチャニチャして嫌ですなあ」

と言いながら、向こうへ持って行って拭いて居りました。

今日は馬坪《ばひょう》の愛甲部隊へ行くことになりました。今度こそ、本当に本部ともさよならです。たった二泊させて頂いたに過ぎないこの宿舎でしたが、何だかずっと前からいたようで去りがたい心でした。

部隊長殿や皆さんに御挨拶を申し上げて、軍旗を拝し、御遺骨に拝礼して、西岡副官殿に馬坪までお送りして頂くことになりました。荷物をトラックへ積みました。私たちは部隊長殿の御好意で、今まで慰問団等は一度も乗せなかった乗用車を貸して頂いて、馬坪へ向かいました。坦々たるドライブウェーです。

白鷺《しらさぎ》の青田に下り立つ姿も見かけられました。他の鳥とは違いどこかに侵しがたい気品を持つこの鳥は、支那の上流家庭の小姐《シャオチェ》（お嬢さん）を見る様に清楚でした。

また、こちらの緑の心憎いまでの美しさは、私の心をしっかりと捉えて離しません。目をつむるといつでも、この青さを思い出すことが出来ます。

前線の尊い兵隊さんの姿と共に……。

十五時に、愛甲部隊へ着きました。部隊長殿にお目にかかり、お部屋を頂きました。薄暗い、さそりでも出そうに思える部屋でした。お部屋へ入ったとたんに、頑張ろうとしても起きていられなくて、私は汚らしさも何もかまわず、土の床へひっくりかえってしまいました。どうにかして、行儀よく起きていようとしても、私の体は、私の心と一つになってくれません。随分いけない子だとお思いになるでしょうが、この広い戦場に、求めて得られるものは休息だけです。お菓子も、お魚も、何一つほしくてもないのですから。そう思って、この行儀の悪さも許して頂きたいと思います。

和服に着替えてから、狭い部屋の入口に立っていますと。すぐ向かい合わせの入口で黒い大

きな眼鏡をかけた兵隊さんが、

「わからないかなあ」

と私に向かって言いました。私は、それが同窓の森さんだということを知りました。一級上の人ですが、この人がここに居るとは夢にも思わないことでした。実際戦線へ来てから、奇遇という文字の持つ本当の意味が判ったように思いました。

十七時から、演芸を始めました。

文ちゃんは、お腹が痛くて今日は休養しています。雅楽ちゃんもいけないようですが、ここまで来て休みたくないといって、頑張っています。いつものように、真っ黒な強い兵隊さんが、熱心に見てくれます。銃を持った兵隊さんが数人、道路の方にいて、いつも見張っていてくれます。その兵隊さんたちの後から、遠慮深そうに若い女が二、三人のぞいて居りました。自分たちの身分に如何《いか》にも引け目を感じているような、弱々しさを感じましたが、この女の人たちだって、こんな前線まで来る間には、あまりにも生々しい人生の裏側を、生きぬいて来たのだろうと思いますと、気の毒な気がしました。〔内地の人よりも、半島（朝鮮半島）の人が多いとか聞きましたが、借金といっても二百円くらいだとある将校の人がいっているのを聞きました。〕同じ女性の立場から、何とかしてあげられないのかしらと、切実に思いました。そうして、私は、余りにも幸福な半面のみにいて、ともすれば不満がちになろうとする、今の私のわがままさを実に恥かしいと思いました。

雅楽ちゃんはとうとう熱を出してしまいましたので、軍医さんに診て頂くことになりました。道広さんもまだいけないとかいって、一緒に診て頂くことにしました。

ここは、とてもひどく爆撃をされていて、裏の方は煉瓦が一杯くだけています。その上に即席の寝台を拵えて、アンペラを敷いた上で、道広さんは診てもらっています。大空の下に悠々と寝そべって診て頂いているのを見ると、病気のことなんか忘れてしまいそうにみえました。

雅楽ちゃんを一人でおくのも気の毒に思いましたので、私は一緒にお部屋にいました。皆さんは、先ほどから会食に行かれましたので、薄暗い部屋に二人だけでいると、何だか、哀しくなってきました。さっきから幾度も兵隊さんが呼びに来てくださいますのでとうとう私も会食に出席することにしました。

今夜は素晴らしい御馳走なのです。

また食べることを、とお思いになるでしょうが、今の私たちには、寝ることと食べることのほかは何も望みがありません。

食器の他にもう一つ、缶が置いてあります。私は何が入っているのかと思ってのぞいて見ましたが、次の瞬間、歓びの叫び声をあげてしまいました。粉末醤油のためにちょっと茶色がかってはいますが、玉子豆腐が柔らかそうに、スベスベして中に入っていました。真夏の百度を超すという暑さの下で、缶蒸しの玉子豆腐とは、思いがけない豪華さです。それにまた、缶が廃品利用のため、細長いのやら、ちょっと丸くて低いのやら、十人いれば、七人までは違っているのです。こんなすごい器は、百万石のお大名だって今まで考え及ばなかったでしょう。

戦線では、内地の人の思いもかけないところに、すばらしい頭脳が発揮されています。それに、この「缶蒸し」を私たちに食べさせて下さるために、炊事の兵隊さんが、随分前から苦心して、缶やら、玉子やらを集めて下さったことを伺いまして、兵隊さんの真心に感激してしまいました。

雅楽ちゃんも、文ちゃんも、三千ちゃんも、体が悪くて熱を出して居りますが、私は元気で皆さんのお世話が出来ることを、何にも代えがたく嬉しく思いました。

家を出ます時に、横井さんという兵隊さんのお母様がいらっしゃって、「もう半年以上便りも来ないし、戦死の通知も来ないが、もし捕虜にでもなったりしていないか」といって心配し、「戦友からは行方不明といって来たが、それ以来三か月以上になる。公報も来ず、近所へ顔むけが出来ないから、もし行方不明としても、戦死として公報を頂くように中隊長殿にお願いして下さい。それでないと世間様へ申し訳がない。この親の身にもなって下さい」と、泣いて頼まれて来ましたのが、この中隊でした。

この兵隊さんの隊長であった佐藤准尉殿と愛京中尉殿をお訪ねして聞きましたが、二十四時までは週番とかで、とても手がひけないとお言伝てがありましたので、それまでお待ちしていました。

それでも、どうか、戦死していてくれるか、生きていてくれるか、どちらかはっきりするといいと、祈る心で一杯でした。

佐藤准尉殿にお目にかかり、そのことを申し上げましたら、

「もう、戦死として公報がいっていると思いますが」とおっしゃって、非常に勇敢であったその横井という兵隊さんの話をして下さいました。マラリヤの高熱にあえぎながら、一人だけで大別山の敵中を突破し、ある時は苦しさの余り動けなくなり、その辺に転んでいる時に敵の大部隊の移動するのとぶつかって、無意識の間に土堤の下へ転がりこんで死んだふりをしたり、それはとても口では言い尽くし得ないほどの苦労をして、友軍の部隊本部まで急追して来たのだそうです。

「その時は本当にほめてやりました」

と准尉殿はいっておられました。

それからも、時々マラリヤの発作を起こしながら、後退することをどうしてもきかず奮闘していたのですが、そのうちに食糧が欠乏して、兵站と連絡がつかず、どうしても仕様がないので、友軍の第一線と第二線との間の芋畑へ芋を掘りに三人ほどで出かけましたが、またその時

も、とてもひどいマラリヤの発作が起こったので、戦友は、皆が待っているから芋だけ先へおいて来てもう一度くるから、じっとして居れ、と言い残して、その次に引き返して行った時にはもう、姿が見えなかったのです。この間三十分もなかったのですが……」

ここまで話された准尉殿は、何ともいえない暗い表情をされました。

「それから中隊全部で、その日も翌日も探したのですが、どうしてもみつかりません。狙撃されれば死骸が残っているはずですし、友軍の中で捕虜になるとは絶対に信じられませんが、第一線といっても、本当の一線ではなく、兵と兵との間もあるのですから、高熱のため本部へ帰るつもりで、敵軍の中へ行ってしまったのではないか、と思うより他に考えようがありません」

と自分が一人の長として、その部下の行方の判らない哀しみと憤りとを一緒にしたような面持ちで語られました。私は何といってよいのか、言葉がありませんでした。

お母様も、私も、最も心配していたことが的中してしまいました。今更なんともならないとは知っていながら、どうして何とかならないものだったのかと、その兵隊さんがお気の毒に思われて、泣いてしまいました。

それで私は、

「お母様に、こんなことを申し上げても宜しいのでしょうか」

と言いましたら、

「いつかは分かることですし、〔中隊長〕殿もあなたから宜しく話して頂くように言っておられましたから、話してもいいと思う点まで話してあげて下さい」

と言われるのでした。

あまりにもかなしい事実を、私はどんなふうにお話していいのかわかりませんので、〔中隊長〕殿にお手紙を書いていただきたいと存じましたが、

「私どもの苦衷を察して、あなたからよく話してあげて下さい。それからまた、こちらからもお手紙を差し上げておきますから」

といわれますと、それ以上にはいわれず、その時のお母様のお嘆きが今から思いやられて、胸のつぶれる思いがしました。

昨日も浙河で、すぐ近くまで馬糧（馬の食糧）をとりに行った兵隊さんが一人行方不明になった、といって大変でしたが、そんなことなどを思い合わせる時、私たち女性には余りにも堪えがたい、いくつかのこうした戦闘裡の悲惨な事実と、それに堂々と堪え、それに向かって悠々と進んで行く兵隊さんの男らしさには、全く神様のようなものを感じるというより他に表現のしようがありませんでした。

私はたまらなくなって、森さんの部屋へ行き、これが本当の戦争であり、これでいいのだろうか、といいますと、「内地の人が畳の上で考えていることとは違うということが判ったでしょ

う」とおっしゃいましたが、本当に見なければ判らないという感じを一層深くしました。

気持ちの暗いままに小学生の頃の話やら、同窓会の準備のために大晦日の雪の降る夜に皆して歩いた話などが何となく出ましたが、こんなことを野戦の暗いローソクの下で話そうなどとは、ついこの間まで考えてもみなかったことです。運命なんてすべてのものをどんなふうにかえてしまうものか、本当にはかり知れないと、しみじみ思ってみました。

敵襲

そんな話をしている間に、傍らに寝ていた道広さんがまた、熱が高くなって来ましたので、冷やしてあげたくても、暗い不案内のこの部隊ではどこに水があるのかも分からず、困りました。たった一片の氷がいくらお金を出しても買うことも出来ないと思いますと、心細くなります。今夜はどうしても眠られなくて困りました。

床についてからじきに、兵隊さんがザワザワして、ちょっとただならぬ様子に、私はハッとしてパジャマの上からスーツをはおって、入口から本部の土間をのぞいて見ました。今日私たちが演芸をしていた時に、右手の丘の上に赤い吊星の信号のあがるのを見ましたが、その時に

森さんが、

「今夜あたりは危ない」

といっていましたのを思い出して、敵襲があったのだと直感しました。

暗いローソクの光に地図を広げて、部隊長殿を中心に、愛京中尉殿も、杉本少尉殿も、佐藤准尉殿も、さっきまであんなに子供のようだった森さんも、堂々たる軍服を着て集まっておられました。

兵隊さんも一個分隊くらいか、もう少し少人数で、その集まりの前にさっと並んだかと思うと、大きな声で命令を復唱し、挙手の礼をして、どこかへ進発して行く様子です。

私はどうなるのかと思って、息をつめて見て居りましたが、堪らなくなって、

「大丈夫ですか」

と声をかけましたら、

「大したことはありませんから安心しておやすみなさい」

といって下さいました。靴の音やら銃のふれ合う音が耳について眠られなくなってしまいました。しばらくすぎましたが、まだ部隊長殿は土間にいらっしゃるらしく、ローソクの光に照らし出された黒い大きな影が壁に揺らいで、低い話声がもれてまいります。

七月十八日

心配した昨夜の敵は大したこともなく撃退されてしまった様でした。この辺は近頃情況がとても悪いと言っておりましたが、どこだって、どんな時だって、髪の毛ほどの油断も戦場では許されません。私たちでさえ、移動する時には、どの部隊でも一度ずつ密偵を出して下さって、情況を確かめてから、出発させて下さるのです。自分は自分で情況を集めるのです。それでも絶対安全とは誰も保証することは出来ません。私たちも本当に身近な所に最悪な場合がいつも起こっているのですが、幸いにまだ一度も何事もなく済んでまいりました。もうこの頃では、よくここまで何事もなく来たものだと、自分の手足をしみじみと見つめる時がよくあります。

私たちの命は兵隊さんの手で

今日は応山へ帰ります。またあの峻しいいくつかの山をトラックで、と思うともうどこへも動きたくない、という心で一杯になるのでした。

ここは、兵隊さんが前線へ出てしまって、本部にはもう私たちを送って下さるほどの余分な兵隊さんは居りません。それで、応山の上村部隊本部から迎えに来て下さいました。

六時にここの本部へ来て下さいましたが、私たちの支度ができませんので七時にやっと出発しました。この辺の部隊宿舎は城壁等はなく、灰色の土の壁に丸味を帯びた茅《かや》の屋根が並んで、内地の田舎とちっとも変わっていないようです。

道端でトラックの手入れをしている兵隊さんやら、これから前線へ出る兵隊さんたちが、私たちを見つけて、

「昨夜はありがとう。戦友たちにもまた見せてやって下さい」

「元気で行って下さい」

と、手やら、帽子を振って送って下さる中を、護衛の兵隊さんに守られて、トラックで応山へ向かいました。

ここからは、山峡を豆煎りのように揺られて、運んでもらうのでした。

今までは前線へ前線へと、私たちの兵隊さんに会える希望と、まだ見ないいくつかの大陸の前線を見る願いとで、はりつめた心を持ちつつ進んで来たのですが、これからはもう二度と見ることは出来ない、山や、人や、川や、木や、草と思いますと、懐かしさと寂しさで、走っているトラックから飛びおりて、いつまでもじっと立っていたい様なたまらない衝動にかられました。兵隊さんも、いくら不便でも、危険でも、どんなにか激しいいくつかの思い出のあふれている戦場から内地へ帰還する時には、嬉しさの中にもこんな淋しいやるせない気持ちを、心

のどこかの隅に持っているのではないでしょうか。

大邦店という小さな部落の千米《メートル》ほど手前の山陰の地点で、トラックが二台止まっていました。私たちはおかしいなと思って、その兵隊さんたちに聞いて見ましたら、

「今、この辺を二百ほどの敵が大邦店へ向かって移動しつつある」

という土民の密告があったというのです。

今まで、私の前に腰かけていた兵隊さんは、新婚の奥様の話や、素足に下駄をはいて浴衣がけで、舌の先がしびれるほどつめたい生ビールを飲みたいなどと、望んでも得られない様な途方もない空想家になりきっていましたが、俄然今までと打って変わって、背中の鉄兜をかぶり、実弾をガチャガチャと銃に装填し、厳しい表情に変わりました。私たちも、

「今度こそは！」

と身内に冷たいものが走りました。

ここの小さい監視所の少尉殿は、

「斥候《せっこう》（敵の様子を探る人）を出してあげたくても、ここは兵が足りないから、もう少しの間じっとしていて下さい」

と言って、小高い丘の中腹に立てられた監視所の方へ走って行かれました。

トラックの上で、私たちはお互いに、

「覚悟して来ているのだから、良いじゃあないの」とか、

「大丈夫よ」とか、

「支那兵ぐらい……」とか、
気の強いことを口には言っているものの、それはお互いを励まし合い、この心細さから少しでものがれようとしているのに過ぎず、誰の顔の色も土色に変わっているのはどうすることもできませんでした。

「自動車は一番目標になりますから危険です。少しでも遠くへ逃げなきゃいけない。自分について走って下さい」

という護衛の兵隊さんの言葉に、あの高いトラックの上から、みんなばらばらと飛び下りました。転んだ人もありました。とにかく「逃げなければいけない」ただそれだけで野茨のとげで足のそこここに血をにじませ、服の破れるのも気にせず、稲田の柔らかな土に靴をとられながら楊柳のかげへ、私たちは一かたまりになりました。ぐっと踏みしめているつもりの両足が、何だかフワフワして自分の足でないようにさえ思われてくるのでした。兵隊さんは私たちのまわりをとりかこんでいました。はあはあという息づかいの下で「とうとう、自分たちも来るべき所まで来てしまった」という感じがして、笑おうとしても、顔の皮膚の強張ってくるのが、

自分でもはっきり判ります。

「もっと姿勢を低くして、口をきかないで下さい」

強い言葉で言われました。それはもう命令でした。

いわれるままに地に伏せて、できるだけ低い姿勢でじっと時の過ぎるのを待ちました。

土の香りがしました。蜘蛛《くも》が一匹はっていました。伏せている私のすぐ目の前に、ピンク色の小さい花びらをつけた草がなにも知らぬげに平和そうに風にゆられて咲いて居りました。「もう二度と、こうした美しい風物も見ることができなくなるかも知れない」といった、一層せっぱつまった感情がおしかぶさって来て、目頭に、ジーンと熱いものがこみ上げて来るのでした。

家に居た時に考えたように、もし最後の時に出会ったら、きちんと化粧もし、好きな振袖も着て、昔のいくさ物語に出て来る女性のように、立派に死のう、というような小さなロマンチックな覚悟や、英雄的な考えなどでなく、もっと自分の命というものに対する素朴な緊張と、言葉にはいいつくせない真剣さで、ただ必死になって、死にたくない、どんなにしても生きていたい、という思いで一杯でした。ふと、ある人の顔が浮かびました。それから母の顔も。身近な人々の顔も、次から、次からと浮かびました。そしてまた、

「日本の兵隊さんがいて下さるのだから大丈夫ではないか、最後の場合に行きあたったとしても、決して辱めをうけない前に、私たちの命は私たちの兵隊さんの手で、きっと故国の空へ送

りとどけて下さるだろうから」

それを口に出して、兵隊さんに頼もうと思いました。兵隊さんは全部で九人でした。その人たちが、銘々に鉄のように見えました。

「九人いれば、二百くらいの敵は何ともないが、あなた方がいると、そんなわけにもいかないし……」

と言っていました。護衛の兵隊さんが少ないので、さっき、これから再び行くはずの上村部隊へすぐ無電を打って下さいましたから、部隊長殿はじめ、皆さんも心配していて下さるだろうと、思ったりしました。

みんな顔を見合わせるのみで、口をきくものもありません。あたりは無気味な静けさに包まれています。ちっとも時間がたたない様な気がし、なぜもっと時計の針はぐんぐん進まないのかと思ってみたり、とにかくじっとしていることがとても堪えられない感じでした。

そうした息づまるような中へ、ふと向こうからトラックが一台きました。見ると日の丸の旗を立てた友軍でした。兵隊さんがバラバラと駆けよって、

「途中どうだった」と聞いています。

私たちは固唾《かたず》をのんで遠い会話に聞き入りました。

「大丈夫です」

今までの不安は一気に消し飛んでしまったわけですが、本当に信じてもいいのかしら、と今まで余りにもいろいろのことを考えていたのと思い合わせて、今度は私たちが畠の中から駆け寄って、もう一度念を押してみるのでした。これで私たちは助かったのだ、と思わずみんなひしと抱き合いました。そうして、何もいわずにみんな泣きました。

再び車上の人になった時、同乗の兵隊さんが「今だからいいますが、実は我々は今朝あなたたちをお迎えに来る時間を聞き間違えて、一時間早く、四時に起きたのです。真っ暗な中で、飯もそこそこにして、皆がブツブツ言ったのですが、今ここでいろいろと情報を聞き合わせてみますと、今朝ももう三十分通るのが遅かったら敵とぶつかっています。そうすりゃあ、こんな人数ですから必ず襲撃をうけていますよ。今朝と今とで二度命拾いをしました。また靖国神社（東京にある元別格官幣社。戦争などで殉死した者の霊を合祀する）は乗り遅れですか、ハハハハ……」と言っていました。

そうした中へ、一人の密偵が戻って来ました。その報告によりますと、敵は私たちの通って来たのと反対側の山裾を移動したことが判りました。もう少し、私たちが早くても、遅くても、途中でぶつかる所だったと思いますと、実際、戦場では、瞬間に自分が持つありたけの運命が決まってしまうものだと思いました。

ほっとすると、今まで忘れていた時間のことが急に気になりだしました。

上村部隊長殿が今日漢口へ、〔会議〕のために飛行機でおいでになるのですが、その前にぜひお目にかかれるよう昨晩馬坪からお電話しておきましたので、どうか間に合うようにと、凸凹のはげしい道をひた走りに走りました。問題の大邦店部落を過ぎた時は、

「ああよかった、自分たちは生きているのだ」

という感じが、期せずして皆の顔に浮かびました。

愛民橋という工兵隊の架けた橋の所で小休止をしていると、エンジンの音を聞きつけて、この守備隊の兵隊さんが、山の上から飯盒《はんごう》（底の深い炊飯兼用の弁当箱）を下げたまま駆け降りてきました。トラックの上の私たちをしばらくじっと凝視していましたが、

「ああ女の人だ」

そう言ったと思うと、山の上へ向かって、

「オーイ、みんな降りてこい」

と大きな声で呼びます。炊事をしかけていたらしい兵隊さんも下りてきて、

「〔名古屋〕の人ですか、そんなら済みませんがちょっと待って下さい」

と言って、ノートのはしやら、ちり紙にかきつけたお便りを、皆さんからお預かりしました。

再びトラックに乗って応山へ向かっていると、少し行った所で、前方からすさまじいスピー

ドで乗用車が来ました。私たちのトラックの前で、この車がピタリと止まったと思いますと、北野少佐殿が軍刀を手にして降りてこられました。私たちを見るや、

「よかった、よかった」

と言って下さった時は、今まではりつめていた心も、春の雪解けのようにゆるんで、何だかじぶんが馬鹿のようになってしまいました。少佐殿の顔を見ていると、生きていたことの歓びと、二度とは逢えないのではないかと思われたこの方にも、またこうして一緒になれたのだと思いましたら、私は涙が出そうになりました。よほど急いで来て下さったらしく、一人の兵隊さんもつれず、いつもの軽やかさは、今日の副官殿には微塵《みじん》も見ることができません。ただ謹厳そのもののような少佐殿でした。

中山さん、雅楽ちゃんは気分が悪いと言いますので、トラックから少佐殿の乗用車に移して、遅れた三十五分間をとり戻すためにひたすら走り続けました。

また少し行った所で、安田中尉殿が兵隊さんを連れてトラックで来て下さいました。そしてまた少し行けば、徒歩の兵隊さんが、

「大丈夫でしたか、救援に来ました」

といって、汗みどろになって来て下さいました。

「済みません。済みません。お騒がせして……」

本当に、炎天の下で、私たちのためにこんなに大勢の兵隊さんに御迷惑をかけてしまって、何とも申し訳ないと思いました。

「こんなに兵隊を出す時は、師団長殿の進発の時くらいです」

と私の傍らにいた兵隊さんがいいました。そして、こうまでして下さる中で慰問の続けられる私たちは何という身に余る光栄、何という幸福なのだと思いました。

兵隊さんにはお礼の言いようもありませんでした。徒歩で来て下さった兵隊さんを、私たちのトラックへ収容しました。満員で足の置場もないほどです。背中の鉄兜がふれ合う音やら、トラックの揺れるたびに銃で手を打つやら、なかなか大変です。

時計を見つめながら車は進みます。

ああ、あの懐かしい、「防共」の白い文字のある丘が見えだしました。とうとう帰って来た、生きて帰って来た、という喜びで何も言えなくなってしまいました。

十時二十分本部着。

懐かしい顔、顔。

私はただもう何ということなしに、黙っていられなくて、自分でも何を言っているのか判らないほど、どの兵隊さんともお話しました。

さっそく上村部隊長殿にお目にかかりました。

私たちを見て、ただ、にっこりされました。

私はその微笑みの中に、部隊長殿のすべてのものを感じることが出来ました。遅くなりましたので、五分間だけお目にかかり、みんな感謝状を頂きました。

とにかく出発される前に、間に合ってよかったという心で一杯でした。

部隊長殿は石原〔少尉〕を連れて、おでかけになりました。何だかこのままお別れしてしまうのがたまらなく淋しい気がして、お姿が見えなくなってしまっても、しばらく百日紅の下に立っていました。

こちらへ着いてから伺いましたが、私たちの方から無電を打ちました時、ここでは、すぐ、警鐘を叩くやら、怒鳴るやら、大変な騒ぎで、兵隊さんを非常呼集して下さったのだそうです。

部隊長殿も、副官殿も、

「もし、あの小さい女の子たちに、もしものことがあったら、軍を信頼して、ここまで出して下さった親たちに何といって申し訳するのか」

というので、

「とにかくすぐに行け。人員が揃わなければ、俺だけでも行く。後は安田中尉、お前引率して来い」

といって、北野少佐殿だけ、ああして先へ来て下さったのだそうです。

そうして
「集まっただけ、一人でも二人でも出発するのだ」

と安田中尉殿も、兵隊さんを急がせて来て下さったということでした。

「とにかく、あんなに驚いたことはありませんね」

と北野少佐殿はおっしゃいました。

こんなことも、今は笑って話していられますものの、もしあの時、本当に敵と出会っていたらと思いますと、ぞっと致しました。

「前線を回って疲れているだろうから、この隊で充分に休んで行きなさい」と言って下さいましたので、そう言われると、今朝からの心の激変のため、張りつめていた気がいっぺんにゆるんでしまい、もう自分たちの心も体も、どうすることも出来ず、私たちはこの前に泊めていただいていたお部屋を拝借して、ひっくり返ってしまいました。

文ちゃんも、雅楽ちゃんも、三千ちゃんも、今朝からの熱が、あの激しい心配でいっそう高くなったらしいので、少しの間でしたが、冷やしてあげました。

みんな「済まない、済まない」というのですが、「こんな戦線へ来てまで遠慮するのか」と怒りましたら「お姉ちゃんが熱を出したら、みんなしてしてあげるわね」なんて、もう勝手なことばかりいって、笑っています。

ここは水がとても冷たいので、みんなも喜んでいます。前線の兵隊さんに、こんな冷たい水を思い切り、咽喉《のど》をゴボンゴボン鳴らして、飲ませてあげたいと思いました。

お昼食を頂いてから、皆は体が悪いのでそのまま二号宿舎へ帰りましたが、団長と長谷部先生と私は、部隊本部へ御挨拶に伺いました。

原副官殿がいらっしゃいまして、顔を見るなり、大邦店のことをおっしゃって、

「よかったですね」

と言って下さいました。そして、

「大分みんな疲れているらしいから、他部隊へ行かない間に、〔郷土〕部隊のここで充分癒して行かないと駄目ですから、ゆっくりして行きなさい」

と大変親切にいって下さいました。

前線へ出る時に泊まった、あの懐かしい二号宿舎へ向かいました。そこはやっぱり平和に青草にかこまれて、疲れきっている私たちをいたわるかの様に迎えてくれました。低い竹垣の枝折戸《しおりど》（竹や木の枝を折りかけてつくった簡単な押し開き戸）をくぐり、木の香りのする格子戸に手を触れた時は、何だかわが家へでもかえったような気持ちでした。

三千ちゃんが、とうとう熱を出してしまいました。道広さんもいけないので、床をとって二人を寝かせました。

こんな知らない所へ来て病気なんかになったら、どんなに心細いことでしょう。それに三千ちゃんは、私たち一行中の最年少者なのです。ときどき無理も言いますし、朝もちっとも起きないので困りますが、それでも私には可愛い妹のような気がするのです。どんなにしたって早く治してあげたいと思いました。

疲れすぎている体を無理に、みんなの看病のために、今夜は長谷部先生が起きていて下さるといわれますが、かけがえのない大切な指導者ですし、とてもお疲れのようですので、私が不寝番をすることになりました。

二人とも「済まない、済まない」といいますと、かえってこっちが困ってしまいます。蒸し暑い上に蚊帳《かや》が低くて不快でたまりません。病人にはよけいに嫌だろうと思います。いっそう蚊を全部この中へ入れてしまって、自分はハンモックの様にたるんでいるこの蚊帳の上で寝たらどんなに気持ちが良いかとも思ってみたりしました。

後方からトラックが着かないために、今夜のローソクは土民の使用する支那製のです。細い竹ぐしの上部三寸くらいに、ちょうど食べる竹輪《ちくわ》のように赤い臘がベタベタ塗りつけてあるものなので、とても悪いのです。臘がボタボタ下へ落ちて、三寸くらいのローソクがじき無くなってしまいます。

すぐ横の部屋からは、みんなの、軽いいびきさえもれて来ます。間もなく三時になろうとしています。

ふと三千ちゃんが、「お母さん、お母さん」と言って泣き出したのには、閉口しました。私の方が、今の場合よほど泣き出したいくらいの気持ちなのに、何と言ったら良いのか困ってしまい、可哀相とは思いましたが、「そんなことをいうものではないわ」と叱りつけたり、なだめたりしました。無理はないとは思うのですが……。

道広さんも、「家を出る時にお母さんが、兵隊で出征して弾丸にあたるのならば本望だが、女子青年団の人と一緒に行って、男のお前が病気などで死なないようにと、懇々と言ってくれましたが、どんなにしても元気になりたいですね」としみじみいわれますと、私も何だか心細くなってしまい、どうしてこんなにみんなが弱いのだろう、と腹立たしくさえなってしまいました。

真夜中です。もう兵隊さんの声もせず、何の音もしません。その中を時々あいだをおいては歩哨のザクッザクッという靴の音が妙に気になりました。

ふと見ると、蛍が窓の外をすうっと飛んでいます。眠ってはいけない、と思って、暗いローソクの下で日記の整理をしかけましたが、ついうとうととするらしく、インクがそこここににじんだり、朧がたれたりして、日記帳をよごします。重責を思いますと、神経だけはピンとして来て、明日は自分も倒れても良いから今夜だけは、と頑張りました。

夜がほのぼのと明け放たれて、窓ごしに、印台山の「防共」の文字がぼんやり朝もやの中に浮かんで来た時は、もう欲も得もなく、代わっていただいて床の中へもぐりこみました。行軍中の兵隊さんは、二日でも、三日でも、寝ることはおろか、食べ物もない中を進んで行く時もあるのに、たった一晩の夜明かしで、と思いますと、何だか恥かしくなって来ました。

七月十九日

午前中はゆっくり休ませて頂きましたが、それでも、お隣の朝の点呼の号令やら、宿舎へ訪れる兵隊さんの声に、ぐっすり眠ることはできませんでした。眠いくせに寝られない。今の自分をほとほと持て余しています。布団の中で落ちついて考えると、やっとここまで帰ったということで、急にはりつめた心の糸をプツンと断ち切られたようで、何とも仕様がなくなってしまいました。

午後でした。私が何気なく中庭をへだてた廊下を見ますと、ここの炊事係の山中さんと、池山さんの二人が盛んに笑いながらジャンケンをしています。何なのかと思って行ってみましたら、今日慰問袋が兵隊さんに渡ったのだそうです。でも二人に一個ずつの割りとかなので、いま分けている所なのです。初めはいいかげんに分けていましたが、写真やら、手紙やら、お菓子になりますと、一つずつ前にしては、そのたびに真剣になって、ジャンケンをしています。勝った方はいいのですが、負けた方のしょげかたはありません。全力をあげてジャンケンをしている姿は実にほほえましく、かえって涙ぐましくさえなりました。こんなに神様のような兵隊さんに、どうして一人が一個ずつ渡るくらい豊富に、内地の方たちは慰問袋を送ってあげて下さらないのかと思いました。そうしたら、こんな厄介なことなんかしなくても一人ずつが飛び上がって喜んで下さるでしょうに……。私は、帰りましたら、慰問袋の中へはきっと二通以上のお手紙を入れておいてあげようと思いました。そうしたらこんな時にも、どっちかの兵隊さんを失望させなくて済みますから。

そのうちにお裁縫の小さいセットが出てきました。その中にセルロイドの赤い可愛い指ぬきが入っていました。山中さんが私に、

「これは何ですか」

と言いますから、

「それ指ぬきですわ」

と答えましたら、

「この前も、誰かの中にこんなのが入っていましたが、一体これはどの指にはめるのかなあ」

と言いながら、その小さい指ぬきを、太くたくましい親指にはめようとしていますので、私が、

「それは中指のこうした所へはめて、こうして縫うのです」

とちょっとして見せましたら、

「そんな所へ、そんな物をはめたら縫えないです。この方が良い」と言って、針なんかどこへ行ってしまうかわからないほど大きいゴツゴツした手で、針で縫う真似をしましたので、大笑いになりました。

七月二十日

今日もまた、大別山系の山々に夏雲が覆いかぶさる様に流れ、太陽は目も明けていられないほど、ギラギラと大陸特有の強い光を投げかけています。

毎日同じように照り、そして暑い日が続いています。

十一時頃に野戦倉庫の見学に参りました。

昨日一日外へ出なかったばかりですのに、何だか久しぶりに歩くような気がして、嬉しくてたまりません。細い路を伝って六百米《メートル》ばかり行った、小高い丘の上にあります。

ここへ上るとすぐに、樽が驚くほど沢山に積んであるのがまず目につきます。よく見ましたら、梅干しを入れて内地から送って来たものでした。ちょうど三升ほどの樽で、四十三人分と書いてありました。そうとしたら、この広い戦場にいる兵隊さんの数と思い合わせて、この沢山の樽の山も合点がゆきました。

野戦にも内地に劣らない廃品整理所があります。そこには、山と積まれた兵隊さんの殊勲を誇るボロ服、ボロ靴下がありました。今では、古くなったのを持って来ないと新しいのが頂けないのだそうです。生命をむき出しにした戦場が、この心がまえなのです。

そうした廃品の山を曲がった所では、乾燥野菜を送って来た箱の内側のブリキ板を利用して、支那人に薬缶《やかん》を作らせていました。口の長い底の広い支那式の形なのですが、それはうまく出来ています。支那人というものは実に手先でする仕事が器用です。私は御案内下さった中尉殿に、

「せっかくですから、この薬缶の底に黒い色を塗ったら、燃料が経済では……」

と申し上げましたら、

「そりゃあいいことを教えてもらった。さっそく実行しましょう。やっぱり細かい点は女の人でなくちゃ駄目ですね」

とほめられてしまいました。

次は、お饅頭の製作場でした。

メリケン粉で作った皮を手にのせて、その中へ餡をくるんで、二、三回くるくるとおさえたと思ったら、もうちゃんと立派なお饅頭が出来ていました。全く馴れたものです。私も作りたくなって、ちょっとお仲間入りをさせて頂きました。私の作ったのは、とても小さいのです。

そうしたら、そこの兵隊さんが、

「これでも員数で渡るのだから、こんなのを貰った兵隊はクサリますよ」

と言いましたので、

「形は小さくても、その代わり私の真心が入っていますから……」

と申しましたら、

「それではこの饅頭だけは、特別に高札でも立ててから渡すのですね」

と大笑いになりました。

焼窯も敵の掩蓋《えんがい》（敵弾を防ぐおおい）の鉄板を利用したり、ここにあるもののすべては廃品利用と伺いました。カステラも、シュークリームも作ることが出来るのだそうです。

出来上がったお菓子を置く部屋は、蝿などの入らないように四方を金網で張った中に、順序よく、すばらしい数のお饅頭が並んでいました。こんなに沢山に見えても、兵隊さんたちには五日に一度位渡るだけだそうです。小さい窓口があって、各部隊名を書いた木札を持って、受け取りに来ていました。

「二、三日兵隊が代わりましたから、大小不揃いです」

と中尉殿がおっしゃいました。中に、二、三とても大きいのがありました。上っ側のつるつる光ったお饅頭を見ていましたら、とたんに風月の栗饅頭を思い出して、急に食べられないことの分かり切っているものが、食べてみたくなりました。

それから、豚の皮の塩漬を見ました。肉はこちらで召し上がって、皮革は内地へ送り帰されるのだそうです。現地自給主義を通り越して、反対に、空き缶も空き瓶も船便のあり次第内地へ送って下さっているとまで伺いました。何だかもったいなく、済まない感じがしました。

家鴨《アヒル》の子供を飼っている所へ来ました。それがとても可愛いのです。幾百羽といる、まだ羽根も生え揃わない、てのひらに乗ってしまいそうなちっちゃいのが、私たちが呼んでやると、まるで風に吹き散らされた蒲公英《たんぽぽ》の綿毛のようにフワフワ、フワフワと動いて来るのです。小さい子供さんを連れて来てあげたら、一日中でも見ていることでしょう。

続いて、ちょっと別棟になった豚の屠殺場へ行きました。何だか恐ろしく気味が悪いので、みんなの後からそっとついて行きました。

こちらの豚は真っ黒で、耳が立っていて、足も細くて長いのです。その辺の木に縛りつけられていましたが、次に連れて行かれるのは支那人が引っ張っても鳴いてなかなか動こうとしませんでした。畜生ながらも、もう自分の運命を予知しているのかと思いますと不憫《ふびん》になりました。畳一枚くらいの台の上へのせ、手足を四隅へ縛りつけておいて、首をスパッと皮一重を残して斬りました。こうしたことは全部支那人がやっていました。その時の哀しい何とも書きようのない声は、いつまでも耳について離れません。そうしてから、支那人がその上へ乗って、グッグッと踏みつけますと、そのたびに鮮血が下に受けられた容器へドクドクとあふれます。随分大きい洗面器でしたが、二杯くらい血で一杯になりました。この血は頭の部分と一緒にこ

豚の屠殺場　気味悪いながらも興味津々

こに働きに来ている支那人たちの報酬になるのだと聞きました。

この血の中へ塩を入れてかきまぜますと、お豆腐のように固まってしまって、もう煮ても崩れなくなるのだそうですが、真っ赤なお豆腐なんか、想像してみただけでぞっとします。

〔それから後足の方から皮と身の間へ太い鉄の棒を突っ込んで、プープーふいて空気を入れますと、豚は二倍くらいの大きさにふくれてしまいます。その上を棒でポンポン叩いておりましたが、こうすると皮と肉とがよく離れるといっておりました。その次に熱湯の中へ入れて二十糎《センチ》くらいの真四角な鉄板で毛をゴシゴシこすりとっておりました。〕

次の薄暗い部屋には、すっかりほぐされた

ピンク色の豚が、胴と首に番号を打たれて、いくつも並べられていましたが、この作業を見たばかりに、しばらくの間はどうしても豚肉を口にすることが出来ませんでした。ここにいた兵隊さんは、

「僕は理髪屋ですが、もう内地へ帰ってもそんなことはしていられません。殺すことは研究済みですから、こんどは飼育の方を勉強して、豚屋になります」

と言っていましたが、私は思い出しただけでも気味が悪くなります。

病気

宿舎へ帰って、マラリアの予防薬ドイツのバイエル製薬製「アテブリン」を飲み、漢口で乗船券を頂くためにコレラの予防注射をして頂きました。こんなに両方を一度にして熱が出なければ良いがと心配して居りましたら、やはり、午後から微熱のために体がおかしいようです。

夕刻、すぐ横の宿舎にいる建築隊の兵隊さんが、襦袢《じゅばん》(肌着)を作って下さい、と言って、黒い木綿の布を持って来ました。他の人たちはとても疲れているらしいので、お断りするのも悪いと私がお預かりしましたが、黒い布に黒い糸で、その上、ローソクの光ではとても見にくく

て困りました。寸法を見るのに物差しも何もないので自分の体にあてては作っていくのですが、これでも出来ないことはないということを知りました。苦労してやっと形だけ出来ましたので、その辺に居た兵隊さんに着てみてもらいましたら、随分大きく作ったつもりでいましたのに、まるで子供のを借り着したようでツンツラツンの恰好には、自分ながらふき出してしまいました。その兵隊さんも

「これでは窮屈で、手も動かせないや」

と大真面目にいうので、一層笑ってしまいました。

別に作り直すほどの余分な布もありませんので、仕方なく脇へ足し布をして、前を紐で結ぶようにしましたら、何のことはない、今様陣羽織という恰好です。それでも兵隊さんは大喜びで小さい子供が新しい着物を作ってもらった時のように、手を上げたり、前へ組んでみたり、大変なものでした。そうして、「宿舎へ行って威張ってくるのだ」といって帰って行きました。毎日汗とほこりにまみれた戎衣ばかり身につけているこの人たちは、恰好や体裁など、そんなものはどうでもよくって、ただ何事によらず新しいものへの喜び、憧れは、こうした所へも堰を切ったようにあふれだしています。

兵隊さんたちにとって針を持つことは、どんな激戦より、強行軍より以上に苦手らしく、綻《ほころ》びやら鉤裂《かぎざ》きなど、本当に思いがけないばかり、糸を縦横にかけて繕って居りますが、私はそれ

を見るたびに、いつも尊いものを見るような気がして、涙ぐましくさえなってきます。

今夜も、ここの兵隊さんが、ボタン穴を破ってしまって、それをお見せしたいような、ぶきっちょな手つきで直していましたので、私が直してあげましたら、

「他の慰問団なんて遊んでいたって、こんなことまでしてくれたことなんかないのに、注射の熱があるあなたに、こんなことをさせて済みませんでした」

と、とても感謝してくれましたので、私はまたここでも、「来てよかった」とつくづく思いました。

七月二十一日

朝から頭が痛くて熱っぽい体を、どうにか我慢して起きました。ここまで持ちこたえて来たのですから、どんなにでもして頑張りたいと思いました。

昨日、知らない兵隊さんの襦袢を縫ってあげている時に、小笠原さんが入って来て、「自分にも作って下さい」と言っていましたが、昨夜はとても駄目でしたから、今朝がた持ってくるように言っておきました。

慰問袋の中に入っていたタオルの手拭いを、いくつも手にしながら、私の部屋へ入って来たものの、私があんまり悪い顔色をしているものですから、黙って帰ろうとしました。私はまた

といっても、もうこんな戦場へ来ることはないのですし、どうにでもして縫ってあげようと思いましたので、「とにかく置いていらっしゃい」と言いましたら、

「こんな所で、こんなにあなたに厄介をかけようとは思いませんでした」

と言って、置いて帰りました。もう日本式の襦袢は昨夜でコリゴリしていますから、今度は洋服のチョッキの様にして、ボタンをかけるのにしました。やはり物差しなどはなくて、相変わらずいいかげんの寸法で作っていきましたが、今度はうまく出来そうです。でも、もう熱がよほど高いらしく、起きているのがやっとのことでした。いくら針の先を凝視しようとしても、幾つにも見えて何とも仕様がありません。今日作ってしまわなければ、明日にでも出発すれば、永遠に未完成のままになってしまいますので、どうにかと思って、苦しい中を続けました。少し過ぎた頃、小笠原さんがまた来て、

「済みません、済みません」

とは言うものの、嬉しそうに、そうして一刻も早く出来上がって欲しそうにしているのを見ますと、何とか早く作ってあげたいと思いますが、どうにも堪えられなくなって来ましたので、傍らで見ている小笠原さんに、

「袖ぐりの所だけ、あなたで出来ませんかしら」

と、その仕立て方を説明しましたが、

「ハアー」

と返事はするものの、一向に解らないようなので、やはり私がするより仕方がありません。泣き出したいくらいで、もう何でもいいから作り上げてしまいたいと、夢中で針を動かしましたが、ボタン穴をかがる時は、とうとう出来なくなってしまいましたので、浦川さんにお願いして、床の中へ転げこみました。体温計もなしで来た不用意さを悔やんでみたりするのですが、たとえ計ってみても、氷も何もない前線では、かえってそんな物のない方がいいのかも知れません。

天野さんも、道広さんも、注射のためなのか、やっぱり熱を出してしまって寝ています。私は体は強い方ではありませんが、ここしばらく重い病気もしませんので、その苦しさを忘れていましたが、今日ばかりは苦しくてじっとしていられず、床の中で体を持て余してしまいました。どんなにしたら良いのか自分でも解らず、枕もとに置いた小さい洗面器の生ぬるい水で手拭いを絞っては頭にのせてみますものの、とてもそんなことでは治りそうにも思えません。家にいたら、どんなにか大騒ぎでしょう。ふと「旅に病んで夢は枯野をかけめぐる」といった芭蕉の句などが、胸に浮かんだりしますが、とにかく、なる様にしかならないのだからと思ってあきらめました。ただ、どんなにしても死にたくない、ということだけ思い続けました。

午後になって、上村部隊本部の安田中尉殿が上村部隊長殿のお使いで来て下さいました。みんな留守なので、やむを得ずパジャマの上からスーツをはおって前のお部屋へまいりましたが、まるで船にのっているようで、ちっとも足もとが定まりません。こんなことで、と不甲斐なくて、残念でたまりません。

今日、十八時頃から部隊長殿が私たちのために、送別会を催して下さるとのことでございました。私は到底出席できませんので、失礼させて頂きますことをお伝え願いましたが、せっかく上村部隊長殿がお招き下さる最後の会に出席できないのかと思いましたら、泣けてきそうになりました。

十八時に皆さんはおでかけになりました。私たちのために誰かが残るといって下さるのを、せっかくの閣下の会ですから皆さんに出かけて頂きました。洋服の嫌いな長谷部先生は、今夜は無礼講《ぶれいこう》の会ですので、久しぶりに素足で浴衣の上へ私の赤い単帯《ひとえおび》をしめてゆかれましたが、その姿を見ていますと、何だか家へ帰ったような気がしてなりませんでした。

皆さんは嬉しそうに出て行かれました。どうしてこんな日に病気になんかなってしまったのかと、口惜しくてなりませんでした。

大潮の引いた跡のように急に静まり返ったお部屋に、病人ばかりが三人残りました。お二人のプルス（拍脈）を計ってみましたら、道広さんが一〇四、天野さんが九三、私は一〇三でした。見ていると、二人ともとても苦しそうですが、何とかしてあげたくても、自分を持て余してい

ますのでどうしようもありませんでした。手拭いを濡らしてあげるのがせきのやまです。二人とも、

「気の毒だからいいよ」

とは言われますものの、黙っていればいつまでもなま温かい手拭いをのせたままでいますので私はどうしても我慢がしきれなくなって、起きてしまいました。こんな時にも、苦しみながらもじっと寝ていられる男の人っていいなあ、と思いました。

皆さんがお出かけになる時に、私にも「何か食事をしなければ」と言ってくださいましたが、どうにも食べられない気がしました。でも食べなければ明日出発することも出来ないと思いまして、こんな所で、こんな無理を言って本当に済まないと思いましたが、玉子の入ったお雑炊が食べてみたいと、頼んでおいて頂きました。

暗くなって来ても、誰もローソクを炊事場まで取りに行く元気もなく、三人とも顔も見えないような部屋でじっとしていました。私は、お願いしたお食事が何だか急に食べたくなって来て、ちっとも持って来てくれない兵隊さんに、いらいらと腹立たしくさえなってくるのでした。しかし、その感情の底から、病気だからといって、女だからといって、そんなに甘えたりわがままを言ってはいけない、昨日まで見て来た前線の兵隊さんは、いつどんな時にも、そんな小さい感情の片鱗さえ見せないのに、お前だけがそんな気持ちをほんの少しでも持つことを許さ

れているのか、と目に見えない何ものかに叱りつけられたり、とにかくじっと寝ていると次から次へといろいろのことが頭に浮かんで来るのでした。

しばらく過ぎてから、山中さんが、私のわがままさから手数をかけてしまったお雑炊の、ほのかに湯気の立ち上がるお盆を手にして、入って来ました。そして私に、

「こんな所で熱なんか出して気の毒ですが、元気を出して、これを食べて早くよくなって下さい」

と言われた時は私は山中さんを見ることができなくなってしまって、思わず床の中へもぐり込んで、泣いてしまいました。

せっかく持ってきてくれたこの食事も、ほんの二口、三口食べたばかりで、もう食べられなくなってしまいました。あとは天野さんに食べて頂きました。こんな感情の温かい、せっかくの好意のお雑炊なのに……と思っても駄目でした。

人間なんて、たった体温の二度か三度高くなっただけで、こんなにまで痛めつけられてしまうのかと思いますと、情けなく、心細くなってしまって、もうこのまま死んでしまうのではないか、とさえ思えたりしました。私が黙っていますので、天野さんも、道広さんも、可哀相に思うらしく、何かと苦しい中から元気をつけて下さいましたが、そうして頂くことが一層辛い気がしてなりません。

二十三時過ぎに皆さんが帰ってきました。楽しかったいくつかのお話を伺っていますと、よけい淋しくてたまらない気持ちです。

うとうとして目をあいた時、暗いローソクの光の下で何か書きながら私たちのために起きていてくれた服部さんが、

「お姉ちゃん苦しいのじゃない、大丈夫」

と言ってくれました。それだけでもう、気強くなってしまうことが出来ました。こんな時にこそ、本当の友情に触れることが出来るのだと思いました。

七月二十二日

眠られなかった一夜……。

本当に苦しかった、生まれて初めて知る心細い一夜でした。

天野さん、道広さんも眠られなかったらしく、夜中に幾度も寝返りをしていました。

まだとてもだるい体を、無理に起き上がりました。私たちが三人ともこんなふうですから、とうとう出発を一日だけ延ばして頂きました。

前線のお誕生日

今日は長谷部先生のお誕生日なので、いつも私たちの指導者として、団長とともに母親に代わって、この長い旅の間を何から何までお世話下さっているこの方のために、何か素晴らしいことをして喜んで頂きたいと思いましたが、ここではどうしようもありません。ですけれどみんなで知恵をしぼって、お祝いの会をすることになりました。

長谷部先生に知られないように準備がしたいというので、みんなそれぞれにこそこそと働きました。私がいつもの私ならもっと働けるのですが、まだ起きているのがやっとの状態なので、みんなにばかり働いて頂いて、済まなくてなりません。

お菓子が欲しいと思いましたが、ここではどんなにお金を出しても買うことなどは思いもよらないことです。昨日だって、私が、玉子のお雑炊を食べたい、とわがままを言ったばかりに、この宿舎に玉子がないために、わざわざ池山さん、山中さんのお二人が、半里ほどもある山裾の土民部落まで買いに行って下さったのだそうです。後でそれを伺って何とも申し訳のない気持ちでした。

仕方がありませんので、本部の酒保へ文ちゃんと浦川さんに行って頂きました。赤い花模様のワンピースに、私が舞踊の時に使う紺の日傘をさして、コツコツと暑い陽の中を歩いて行きました。しかし結局、思ったものはありません。酒保へトラックがつくとたんに、真っ黒な兵隊さんで埋まってしまう、いつかの光景を思い出して、それでもよく羊羹が五本とビスケットが残っていたと思いました。これでは人数の割りにゆきますと一切れずつにもなりません。

今夜は、お隣の建築隊の兵隊さんも、報道班の兵隊さんも、手の空いている方は全部集まって頂くことになっていますので、相当な人数になり、これではどうにもならないので、もう一度二人に野戦倉庫へ行き、今日のことをお話して昨日のお饅頭を少し頂くよう、頼みに行って頂きました。

「そういうことなら……」

という御好意で、三十個頂くことができました。

そうしている所へ、報道班から素晴らしい贈物を頂き、私たちを有頂天にしました。昨日この催しをやることをお知らせに行きましたので、報道班の方たちが、随分遠くまでさがしにいらっしゃって、メリケン粉を見つけて来て、それを焼いた一抱えもあろうという、すごく大きいドラ焼きでした。

「今朝から、大変なさわぎで焼きました」

と持って来て下さった兵隊さんは言いました。

場所は二十畳ほどの、いつも食堂になり、応接室になり、娯楽室にもなるお部屋ですが、日本式に建てられているこの宿舎の一棟を、夕方までにできるだけ美しく、楽しいところにしたいと、みんなで飾り立てました。支那式の家ばかり見続けて来た私たちには、木の香りも新しいこの宿舎が日本式であることだけでも素晴らしく感じます。

幾日ぶりかに畳の上に足をのばした時、どんなにゆったりした気持ちになることができましたか……。どんなにスプリングの良い椅子よりも、柔らかい羽根布団よりも、こちこちで良いから畳の上で日本式の布団に手足をのばし、冷たい水を思い切り飲んでみたいという心を、どの兵隊さんだって、私たちだって取り去ることは出来ません。それは服を着ている兵隊さんからも、大和魂は取り去ってしまうことができないと同じように。私たちは日本人なのです。そんな意味で、今夜はできるだけ内地色の豊かな会にしたいと思いました。

ここの宿舎の兵隊さんから、長谷部先生の今夜のお誕生日祝いに送られた素晴らしいプレゼントをお伝えしたいと思います。

私たちが今夜のためにテーブルを作り、お菓子の容器に苦心したりして、ほっと一息ついている時、不思議な音が聞こえてきました。本当に優しい、そして小さい頃から、夏祭りが近づいて街の風物から初夏の感じをはっきり知らせてくれる頃に聞きなれた、金魚屋のよび声と、風鈴の音……。その風鈴の音でした。最初は何かと聞き間違えたのではないかとさえ思いました。こんな前線に、戦前まではおそらく誰も知らなかったと思われるこの支那の山奥で、こんな日本の音を聞こうとは、本当に思いがけないことでした。そして、それがどんな物で作られてあるかということを知った時、私はただ感嘆するだけでした。

それは、サイダーの空き瓶を底の方三分の二くらいの所から二つに切り離して、その口にあたる方へ小さいガラスの破片を糸で吊り下げて、軒に吊るしてありました。風の吹くたびに、その小さいガラスの破片が朝顔型のサイダー瓶にあたって、それは泣き出したいほど優しい音を出していました。これを作るまでの苦心は、糸が長すぎたり、短すぎたりして、今日の午後を、すっかりこのプレゼント製作に費やしてしまったといっていました。

テーブルに花瓶がほしいと思いましても、それは願われないことでした。風鈴を作った時の、残りのサイダー瓶の底の方を花瓶にすることにしました。どんな高価なカットグラスの花瓶より、私には美しく、尊く思えました。

お花は宿舎の付近の草原から、カヤツリ草やらすすきを折って来てさしました。

今夜は白いローソクでテーブルを飾ることも出来ました。

おいしいお菓子もありません、懐かしい肉親の方たちもいらっしゃいませんが、この切ないまでに押し迫った私たちの真心で、長谷部先生も御満足下さると思いました。

十九時頃から始められました。

私に何かお祝いの言葉を、と団長がおっしゃいましたが、あまりにも内地と違った雰囲気を持つこの会場で、今の私たちの感情を、どんなふうに言ったら解って頂けるのか、今夜中言っても言いつくせないと思いました。それで、私はすべての感慨をこめて「おめでとうございます」とだけ申し上げ、兵隊さんには、今夜の集まりのために、本当に心苦しいまでに御親切にして頂いたお礼を申し上げて、今夜は内地へお帰りになったつもりでゆっくりくつろいで頂くことにしました。

上村部隊から、安田中尉殿、石原少尉殿も御出席下さいまして、とても賑やかでした。お祝いの言葉やら、歌やらが、次から次からと続きました。

報道班の兵隊さんが、長谷部先生に、といって野戦で作った尺八を持って来て吹いて下さいました。真っ黒な逞しい体を、惜しげもなく、上衣をかなぐりすてて、頭に鉢巻をして、あの咽《むせ》び哭《な》くような音を静かに聞かせて下さいました。

炊事の兵隊さんたちも、大きなゴツゴツした手を叩きながら、故郷の民謡の追分やら、麦刈り歌などをいくつも歌ってくれました。

私たちも歌いました。

こうした魂と魂が触れ合うような、真心の会は二十四時過ぎまで続きました。

長谷部先生も本当に喜んで下さいました。きっと、この前線でお迎えになったこの日を、生涯おぼえていて下さると思います。幾年かの後に、お孫さんを膝にして、この時のお話をなさる長谷部先生の姿などを、ふと思い浮かべてみたりして、本当にいい日にお生まれになったと羨ましく思いました。

終わってから、あまり美しいお月様でしたので、何だかこのまま寝てしまうのが惜しく、私はそっと裏庭へ出てみました。そうしたら、誰か一生懸命で、月明かりの下でお便りを書いていました。私ははっとして、お邪魔になっても悪いと家の中へ入ろうとしましたら、その兵隊さんは私に、

「この手紙を読んでみて下さいませんか」

と言って私を呼び止めるのでした。どちらへお出しになるのか知れませんが、読ませて頂いても宜しければ、と思って見せて頂きました。

こんな静かな月の美しい晩に、私たちの兵隊さんは一体どんなことを思っているのか、私はそれを考えつつ、そのお便りを手にしました。

ローソクの光りとはまたちがった、冷たく神々しい月の明かりの下でお手紙を読むなんて、思いがけないほどロマンチックな感じですが、鉛筆で書かれてあるこのお手紙は、暗い月の光りではちょっと読みにくいものでした。

小さい弟さんへのものらしく、仮名ばかりで書いてありました。元気でいる自分の近況をまず知らせ、それからお歳を召していらっしゃるらしいお母様の健康を気づかい、また、弟さんの学校の勉強の指導まで、女の私たちでも気のつかない温かい思いやりや細かいことまで、深い愛情をもった言葉で、幾枚もの便箋にぎっしり書いてありました。明日をも知れない自分のことなど一切かまわず、家に残した幼い方へのこうしたお便りを、鬚武者の兵隊さんが書いている……私は思わず泣いてしまいました。

そして、こんないい兵隊さんを兄さんに持った弟さんは、本当に、本当に幸福な方だと、兄のない私には、憎らしいほど羨ましくなりました。

そうしている間も、歩哨の兵隊さんは、黙々として、絶えず宿舎の回りを、回っていてくれます。

銃の尖《さき》につけた剣が月の光りをうけて、真っ暗な中にきらきらと光っていました。

もう二時を過ぎているのでしょう、あたりはしんとして、露のおりる音まで聞こえそうです。

七月二十三日

〔応山〕部隊の沢山の兵隊さんとも、いよいよお別れする日になりました。

昨日以来、内地のお母様に、お子様に、お友達にと、兵隊さんからのお手紙や写真などいろいろの物を頼まれ持ち込まれました。どの一つも、なくしてはならないと、行李（旅行用の荷物をおさめる箱）へ丁寧に納めて縄をかけ、大切に持ってゆくことにしました。

何だか、このままここを出発するのが哀しゅうございます。早朝から沢山の兵隊さんが、途中を気をつけて下さい、とか、内地でもう一度会いましょう、とか、お別れの挨拶に来て下さるので、いっそう哀しくなってしまいました。

こんなに苦労して奮戦し続けている、私たちの兵隊さんを残して、私たちだけ内地へ帰ることが、済まない様な気がしてなりません。宿舎の兵隊さんと記念のために写真をとり、八時に出発しました。

司令部へ参りますと、見覚えのある懐かしい上村部隊のクライスラーが見えました。昨夜「きっと送ってあげますよ」とはおっしゃいましたが、次の作戦準備に大童《おおわらわ》の皆様にはそれは御面倒なことではないかしらと思っていましたのに、北野副官殿がサッと手を挙げて迎えて下さいました。

安田中尉殿が「自分で運転してきました」といって、石原少尉殿と車の所に居られました。本当にいろいろと御世話なりました。何度御礼を申し上げても、言い尽くせません。

もう、今日お別れすれば、いつの日、御一緒になれるかわからない。ただ懐かしさで一杯でした。

大別山にかかる雲の峰も、印台山に書かれた「防共」の白い文字も、もうおそらく私の生涯の中で再び見ることも出来ないと思います。それは、馬坪を出て来た時よりも、一層切ないものでありました。

私たちは、今日は信陽《しんよう》へ行くはずでしたが、戦況の都合で急に広水《こうすい》へ向かうことになったのです。私たちがまだ寝ていた今暁、人の顔も見えない頃に、信陽へ出発する車輌部隊の轍の響きを聞きました。昨夜、この宿舎へ来て私たちにいろいろと頼んで行った兵隊さんも沢山いることでしょう。吉隆兄様も行くとかいっていました。皆さんの御武運長久を祈るというより、ただ、死んではいけない、きっと生きて帰って下さい、と心の中で叫んだのでした。

連絡所まで行き、そこでトラックに乗換え、兵隊さんと御一緒になって出発しました。

副官殿の自動車も後になり先になりして、ちょうど可愛い我が子をまもる雁のように、小高い丘の所まで送って下さいました。

そこで自動車をとめて、いつまでも、手を振っていて下さいました。

緑の丘に、皆さんの真っ白な手袋がポツンと一点に見えるまで、私たちはトラックの上から伸び上がり、伸び上がりして、手を振りました。往きと同じ山路を揺られて車は広水鎮へ進みました。途中の山で、薪を沢山支那人に集めさせていました。

「この辺は岩山ですから植林は出来ないので、冬はとても困ります」と同乗の兵隊さんが言っていました。冬の用意に、暑い今から集めて置くのだそうです。

トラック一杯積んで、四十円ほどとか言っていました。

途中、岩山の上に、日章旗の立っているのを見ました。何だか自分の一番身近なものを見たような気がして、思わず皆が「万歳」を叫びました。いつも思うのですが、こんな山の中に、ほんの少しの兵隊さんで、日夜守り続けていて下さるのは大変なことだと思います。

十一時、広水着。すぐ本部へ行き、高野部隊長殿にお目にかかりました。森田副官殿の御好意で、サイダーを頂きました。中庭にあるテーブルに、ちょうど乾葡萄《ほしぶどう》を思いきりぶちまけたように、蝿がたかっていました。

宿舎を決めて頂きました。片側がちょっと高くなった路に沿って、兵隊さんの宿舎があり、その中ほどの支那家を拝借することになりました。

この家屋は典型的な支那家屋の建築様式で四合院といわれ、門を入った所に、中庭を隔てて、両側に三室ずつあり、その正面に少し広い部屋が一つありました。その左右にまた小さい部屋が二つ、それで一棟らしい様子です。大家族主義とか聞いて居ります支那人は、これで幾組かの夫婦が居るのでしょうが、どんなふうに一家が住んでいたのかしらと思い、そしてその人たちは、今頃はどんな所で、どんなにして暮らしているのかと思いました。

ここは本部の事務所になっていて、中央の大きい部屋には、書類がいっぱい積み重ねられて、兵隊さんが常に出入りしていました。

私たちはこの部屋の右の方を二つ、拝借しました。土で拵《こさ》えた床は、私たちに快い冷たさを感じさせてくれましたが、お腹が痛くなりはしないかと心配でしたので、下給された毛布を敷くことにしました。

赤黒い土をそのままの壁は、いく筋かのひびが入って、その間からさそりでも出てきはしないかと無気味でした。天井は土のままの上に、天窓くらいの穴があって、ガラスも何も入れてないので、雨が降ったらどうなるのか、と思いました。

天井板の代わりに、縄が三寸おきぐらいに縦横に張り渡されて、蜘蛛の巣が一杯かかっていました。内地にいる時だったら、とてもこの薄暗い部屋へは、足踏みするのさえ出来ないでしょう。ですけれど、戦地は、私たちの神経までたくましくしてくれて、さほど苦にならないだけの心構えさえも、この頃では持つことが出来るようになりました。かえってこうした不自由さを堪えしのんでこそ、野戦へ来たという感じがするようになりました。

ここの宿舎のすぐ前に、小さな池があります。水が替わらないのかどろんとして、真っ青な浮き藻が一面に拡がっていました。兵隊さんたちも、お友達も、そこで洗濯を始めましたが、私はこの水で白い下着を洗う気にはなれませんでした。この池の水際に、白い塔が鮮やかな緑の小高い丘を背景にして立っているところは、無聊《ぶりょう》続きの私たちに落ちついたなごやかな気分を与えてくれました。

十七時半より、演芸です。内地のこの時間でしたら、もう片陰できて、ちょっと暑さも落ちる頃ですが、ここではまだまだ日盛りです。その上に小高い丘の上のこの演芸場は、何一つとして、烈しい日を遮るものとてなく、見ていて下さる兵隊さんも私たちも大変でした。

十九時より、部隊長殿との会食でした。

十九時半といっても夕暮れの感じは全然ありません。まだ太陽は頭の上ですので、何だかお昼御飯を頂いているような気が致します。

でもやがて、暮れていく大陸の夕べは、四方の山を薄墨色の大空にくっきり浮き出させて、その美しさは一幅の名画をみているようでした。

あまりにも美しい夕やけに、明かりをつけているのがもったいなく、すっかりローソクを消して室内を薄暗くして月ののぼるのを待ちました。山の端からのぼる月の光がさしこみ、皆の姿が蒼く浮かび、始皇帝の清夜遊というのも、こんな美しい晩ではなかったのかしら、と思うほどでした。皆で、部隊長殿を囲んで、詩吟やら歌やらで、楽しく落ちついた一夜を過ごすことが出来ました。

私の真正面の山峡の所に、真っ赤な光が見えました。私はまた、敵の信号なのかと、はっと、びっくりしましたが、それは本当の星でした。こんなにまで、神経質になってしまったのかと、自分を見直してしまいました。

　二十三時、宿舎へ帰りました。

　それから、荷物の整理、日記の始末をしていましたら、兵隊さんがお風呂が沸きましたからと言って来てくれました。もうすっかり疲れて綿のようになっている私たちは、お断りしたのですが、せっかく、今まで待っていた、と言われますと、その御好意だけでも入らなければ悪いと思って私と浦川さんが代表で入浴しました。

　私たちのお部屋から二、三軒お隣のところなのですが、光の届かない真っ暗な普通の部屋の様な所でした。ローソクが一つ灯してありましたが、何だか隅の方に人の気配がしましたので、ちょっと入りかねていましたら、兵隊さんが「大丈夫ですよ、自分たちが外にいてあげますからお入りなさい」と言って下さいました。二人とも勇気を出して着物を脱ぎましたが、洗っているどころではなく、ローソクを浴槽の縁にたてて、抱き合うようにして、じっと沈んでいました。

　浴槽の上に明けられた窓の外がすぐ人通りの道なので、いっそうぞっとしました。

　さすが、二十四時をすぎると、いくら昼間は百度を超すという大陸もぐっと冷えこんで、裸の背中を撫でる風は、ちょっと寒いほどでした。道を隔てた草原からは虫の音さえ聴こえて、秋を思わせました。何だかこんなに涼しいと、昼間の暑さが嘘の様に思われました。

早々にお風呂を上がり、兵隊さんに御礼を申しましたら、「明日は昼間のうちに沸かして置きましょう」といって下さいましたが、「とてもこの道の真ん中にあるようなお風呂に、明るい時には入れません」といって、御好意を辞退致しましたら、「この前に来た漫才の人たちは平気で入りましたけれど、やっぱりあんたたちは違うんですね」と言っていらっしゃいました。

宿舎へ帰り、いろいろと雑用をしていましたら二時をすぎてしまい、もうローソクも、一糎《センチ》ほどになってしまいました。これの消えない間に明日の準備をしなければと、気ばかり焦って、よけい駄目になってしまいました。もう少しという所でふっと消えてしまうと、急に恐ろしくなって、真っ暗な中で夢中になって床の中へもぐりこみ、必死に布団へしがみついてみたりしました。

七月二十四日

今日もまた、よいお天気です。

みんなして、池の後にある丘へ登りました。久しぶりで自分たちでラジオ体操の歌を歌い、そのリズムに合わせて体操をしました。

この丘から見る広水は、城門に抱かれる様にした街と線路を隔ててもう一つ、谷崎部隊の集団と、その向こうに広水河を見ることが出来ます。

さほど広い部落ではありませんが、田舎の街としては、整った所だと思いました。

もう一つ先の監視所の先の丘まで行こうかと思って歩いてゆきますと、兵隊さんに出会い、いきなり叱られてしまいました。

「あなたたちは一体、どういう人なのです。この丘の一つ向こうはもう敵地で、いつ、どのように襲われるか分からないのに、自分たちだけで出歩くのは迂闊《うかつ》過ぎます。戦地ということを忘れてはいけません」

そう言われて、本当に何という軽率さだったでしょう。不注意すぎる。この頃、少し有頂天になっている自分たちを恥かしく思いました。

叱られた所のすぐ向う側に、仏蘭西《フランス》の天主堂が見えました。今朝、胸に染み入るような優しい鐘の音を聞きましたが、きっとあそこで鳴らされたことと思います。

〔幾人かの牧師で伝道しているが、今は本国へ帰っている人もあるとか兵隊さんが言っておりました。情報を集めて自国へそれを流すスパイ牧師は、そんなふうに行ったり来たりして情報を集めて困りますから、もうたぶん再びここへは入れてやれないと思います、とも言っておりました。神様の御名のもとにそんな行為をする外国の人たちにはたまらない不快さを覚えました。〕

いつの日にか再見《まみえん》

十一時頃から、ここにある日本語学校を見学させて頂くことになりました。カンカン照りつける広場を、日傘もなく、つばのない帽子で歩いて行きますと、今にも倒れてしまいそうに思いました。

街の中へ入る少し手前であわれな姿の女をみました。今日のは、浙河よりも、馬坪よりも一層たまらない気がしました。

白昼、帯も締めないで、半分崩れかけた支那家屋の二階の手摺りにもたれた女。いつたたんだかわからない単衣《ひとえ》に、薄汚い黄色の三尺帯、髪には油っ気もなくザラザラした女が私たちの前を突然横切って行った時は、哀憐の情を通り越して、何かどなりつけたい不快さを感じました。お友達も皆同じ思いなのか、むっつりして、不快そうに歩いていました。

城門を抜けて凸凹の烈しい狭い路を進みましたら、ここの自治委員長の易さんが迎えに来て下さいました。韓さんのような品位をみることは出来ませんが、こちらの仏像に見るような顔かたちの人でした。

事務所へ行きますと、ここでは高橋班長、平野、和田上等兵をはじめ、主だった人が私たちを迎えて下さいました。

部屋には、ポスター、絵などが壁いっぱいに貼られてありました。それにはこんなことが書いてあります。

「人民有家不得帰、有田不得種流離失所之過」
「蒋介石抗戦是利用名詞以図鞏固自己個人的地位」
「東亜興隆人民万征、暴政消滅国体維新」

それから、この国特有の迷路のような石畳の路を通り抜けて学校へつくと、一年生も二年生もなく、男子五十名、女子十名ほどの教学（授業）のようでした。私たちのまいりました時は、ちょうど和田先生の時間でした。内地での授業には到底見られないほどの烈しさ、真剣さで続けられ、本当に、熱心とか、真面目とか、そんな言葉では言い尽くせないほどの激烈な態度で教えていらっしゃいました。

〝自来筆〟（万年筆）、〝信封兒〟（封筒）、〝洋墨水〟（インク）。「マンネンヒツ」とか「ドビン」とかは特に言いにくそうでした。「マンヒツ」とか「マンネン」まで来てつかえてしまったり、

「ドービン」とか、とにかく、大変に難しそうでした。

それを後から順に一人ずつ起立させて、言えるまで、一口、一口、時には見ている私たちの方がハラハラするほど少しの間違いも許さないで、繰り返し繰り返し教えていらっしゃる姿は、単なる先生というのではなく、もっと尊いものでした。

黒板には、土瓶やら、海やらの絵が書かれてありました。生まれて初めて見るいくつかの風物を、この子供たちに充分納得させるまでには、どんなにか御苦労のことかと思いました。それは息づまるほどの雰囲気でした。

ふと、外で子供の烈しく泣き叫ぶ声に混じって、罵《のの》り喚《わめ》く声が聴こえてまいりました。私たちはこの真剣な生徒のほかにまだ子供さんのいることを知りました。そういえば、先刻ここへ入って来る所で、無邪気に遊んでいる小さい子供たちを見かけましたが、内地で、時間の厳しい私たちの学校生活の概念から、授業中に外で遊ぶことなど思いもかけないことでした。

和田先生はこんなお話をなさいました。

「初めは時間を定めていても、一人も出て来る子供はなし、毎朝呼び歩いて一人ひとり引っ張って来たものです。授業を始めても嫌になれば外へ出てしまうし、どうにも手に負えませんでしたが、近頃はどうにか時間にだけは集まるようになりました」

と、おっしゃいました。そうまでして、熱心に教え導いて行かれる、何ものにも代えがたい魂の学校に学べる子供さんは幸いだと思いました。教室の前の庭で、お話をしたり、写真を撮ったり致しました。

どの子もみんな可愛い子ばかりでした。

易委員長の子供さんで、四歳くらいと思われる女の子がボーイに抱かれて、こちらへ出て来ました。丸々と肥った可愛い子供でした。私はこの小さい子供さんを喜ばせるために、何かいいものはないかと思いましたが、そんなつもりで出て来ませんでしたので何もありません。ふといつも使っている、セルロイドの真っ赤な小さい鞘《さや》に入っている櫛《くし》を思い出しましたので、ハンドバックから出して、小さな手に持たせてあげました。今朝から熱があって、気むずかしいとかいっていらしたこの子供さんも、やっぱり小さい赤いものをみれば嬉しいのか、ニッコリしていつまでもなぶっていました。易さんも傍らへ来てにこにこと見ておりました。

こちらへ来てよく思うのですが、随分子供さんとも一緒になりましたし、遊んでいる所も見かけましたが、玩具を持っている子供を見たことがありません。日本だったら、田舎へ行けば行ったで、野にも山にもかえって伝統と郷土の香りをもって、子供を楽しませる素朴な良い玩具があり、今ではちょっとした絵本ぐらいは、どんな農家にも見られる様ですが、ここでは絵本どころか、鉛筆一本ないようです。一体支那の子供は遊ばないのかしら、といつも思っていましたので、和田さんにお伺いして見ましたら、やっぱり上海とか南京辺りの子供たちを除いたら、こうした田舎には、全然ないのだそうです。お祭りのような時に、色紙をいろいろなふうに切ったり、型どったりするけれども、それは遊びというより、神様に捧げるとか、悪魔を追い払うとかの意味が多分に含まれているのではないか、と私には思われました。電気機関車に、フットボール（ドッジボール）に、遊び戯《たわむ》れる都会の子供。御手製の竹トンボに、麦笛に楽しむ田舎の子供。これらは大人になっても忘れられない懐かしい思い出を残していく日本の子供は、なんと幸福なのだろう、としみじみ思いました。私には子供から玩具を取り去った生活など、およそ想像も出来ないものだけに、支那の子供を可哀相に思いました。

それに、宣撫費というものはほとんど無いといっていいほどだとも伺いました。宣撫費のない宣撫がどんなに苦しいものかということも聞きました。自分たちの小遣いを割き、中隊の戦友へ来る慰問袋の中の紙や鉛筆の小さくなったのを貰って来て、学校で使っていると、言っていました。もう何年も戦争が続けられた今、やっと、物を大切になさい、とか、兵隊さんのことを思って辛抱なさい、とか言っている内地の人たちに、見せてあげたく思いました。

［イギリスやフランスの使っているそうした費用の十分の一でもいいから、なぜ宣撫予算を出してくれないのかと思いました。いくら日本が正しい強い国だからと宣撫してみたって、ここの難民たちのお腹はふくれません。それより陰ではどんなに搾取され自分の国を侵略されても、自分たちだけが安居楽業させてもらえるイギリス、フランスの方がどれほどありがたいと思っ

ているかしれないということは、今度こちらへ来て、それも田舎へ来てしみじみ思いました。」男の子は十七、八歳になると思われる子もおりますが、女性のその年頃の人は見かけませんでした。和田さんは、

「そのくらいの女の子が来てくれるといいのですが、それには先生も男だけでは駄目ですね。あなた方の様な人が手伝いに来て下さったら、小さい子供にも、私たちで出来ない細かい点やら、優しさがわかるのでしょうが……」

と言っていらっしゃいました。

本当に、戦線でも、こうした学校でも、高い教養と、深い愛情と、何ものにも耐え得る強い意志とを持った女性を切実に望んでいます。私たちでできることなら、しばらくここにとどまってお手助けしてあげたい気さえ致しました。

それは、若い女性の一時的な感情などではなく、この可愛い子供さんを見たら、おそらくどんな人だって、そう思うだろうと思いました。私は家へ帰ったら、絵本も、クレヨンも、この子供たちに、きっときっとお送りすることをお約束しました。

学校から宿舎への帰り路で、お米の容器の思いもつかない便利なものを見ました。アンペラで細かく編まれた、幅五寸ほどの帯状のものが、らせん型に巻いてありました。普通は五寸ぐらいの、幅だけの高さで小さくらせん状にまるめておいて、必要な時だけ、中側をグッと持ち

上げればいくらでも入れれるようになっているのです。本当に簡単で、どこへでも持ってゆかれます。沢山入れれば、内地の一俵ぐらいは入れ得るそうです。

支那の人たちは、ほほえましいほど合理的に生活を簡易化しています。

夕方から鉄道線路を越え、爆撃された土の家をくぐり抜けて、谷崎部隊へ参りました。ここは野戦病院です。私たちが応山で雨に降り込められて、日程が四、五日延びてしまっていますので、ここの兵隊さんたちも随分待ちくたびれたそうです。「昨日あたりは、女子青年団の人は広水へ寄らず、信陽へ行ってしまい、もう来ないのだとのデマまで飛んで大変でした」と、渡辺中尉殿がおっしゃいました。そんなにまで待っていて下さったときいて、実に嬉しくなりました。

舞台もちゃんと出来ていて、後には涼しそうな木立のバックまで描いてありました。何だか久しぶりに快く踊ることが出来ました。見物して下さる兵隊さんと、踊っている私たちの心がピッタリ一つになった時は、本当に神々しいものが感じられます。

演芸の途中で和田さんが来て下さって、小さな可愛い支那靴を下さいました。

一足は和田さんのお妹さんにお届けするお約束をしました。その靴は牡丹色と黒色でしたが美しい刺繍がしてあって、てのひらに乗ってしまうような、小さい靴でした。

演芸が終わると、すぐ裏のクリークにお舟を浮かべて、皆さんと御一緒に乗せて頂きました。

この舟は敵のジャンクを分捕って、それをすっかり日本式に改造したのでした。皆で四雙とかあるのだそうです。今夜初めて水に浮かべるのだと言っていらっしゃいました。私たちはよい時に来あわせたものです。

今までの苦しい思い出も忘れてしまうほど、戦地でないように思えるのでした。何だか長良川あたりへでも行って舟遊びをしているようで、これで浴衣さえ着ていれば内地と少しも変わらないと思いました。

もう二十一時です。今日もまだ暮れ切らぬ大陸の夜は四周の山々を薄墨でさっと一刷毛はいたような、渋い落ちつきを見せています。堤になった河の両側の楊柳は清い水に深い影を落として、名も知れぬ水草に蛍が三つ五つと光を添えているなど、本当に、詩の国、夢の世界といった方が似合うほど、美しく静かなひとときでした。

今夜は、この舟の命名式なのです。私たちをのせて頂いた記念に、部隊長殿常用の舟は「少女《おとめ》丸」という名前になりました。

クリークの一丁足らずの間を行くことしばし、また戻っては歌に興じ、といったふうで、いくつかの詩やら歌が皆さんに出来ました。こうした才能を持ち合わさない貧しい私は、ただよい聴き手になるのが精一杯でした。

本当に楽しい一夜でした。皆さんに心から御礼を言って、二十三時頃に宿舎へ帰りましたが、まだ先ほどの気分が抜けきらず、服部さんも、文ちゃんも、月の美しい池の端へ椅子を持ち出して話し合いました。兵隊さんたちもあまりにもよいお月様に、そこここに二、三人ずつ集まって話をして居られました。

七月二十五日

カッと照りつける毎日の太陽。今にも崩れ落ちる様な雲の峰。大陸の真夏の暑さは、私たちを燃焼させてしまうような晴天続きです。しかし、百度を超える暑さにもさほど苦しさを感じない様になりました。

午前中、高橋宣撫班長がいらっしゃって、学校のこと、住民の生活などのお話をして下さいました。お帰りになると、平野上等兵が易さんからの羽毛のうちわと、生徒さんの昨日の感想を書いた作文を持って来て下さいました。封筒の表に「岩佐先生」と書いてあるのには、ちょっとめんくらいました。

岩佐喜代子先生

跋渉渡重洋

慰問菈疆場

日華已携手
皇軍武運長

易常五
丁継南　贈

挽留無術
如失慈親
他年東渡
再拝我君

広水青年学校学生　呉秉

浩然　萬里
慰問　相慰
志　問
炎度　英雄
萬里　中幗

行　　中

易常五　　丁継南

戦場のことですから、紙も墨ももちろん悪いのですが、すっきりした、たくましい書体は、子供のものでもやはり文字の国を誇るだけあって、立派なものでした。

その後で、和田さんが揚さんをつれて遊びにみえました。

あわただしくも今日はまた、ここを出発の予定でした。

午後は汽車に乗せて頂くはずでしたが、都合が悪くて便乗出来なくなりました。私たちは、旅客のための車でなく、荷物の片隅にのせて頂くので、いくら今日はよいだろうと思っても、作戦の都合でどうなるのかわからないのです。

しばらくお母さんに便りも致しません。出しても航空便がありませんので、漢口から出した方が早く内地へ着く、と兵隊さんが言っていました。浙河以来、音信が絶えていますから、随分心配していて下さるのではないかと思います。早く漢口へ帰って、この数日の息づまるような真実の世界のいくつものお話が書きたいと思いました。

十時から、昨日来られなかった高野部隊の兵隊さんにもう一度、演芸をお見せすることにしました。そこは昨日と違って、先ほどまで支那芝居に使っていたとかいう建物でした。屋根はありましたが、お粗末なものでした。易さんが生徒さんをつれて見にいらっしゃいました。

十二時から、便衣隊狩（普段着姿で敵の占領地に潜入し活動するグループの摘発）があるとかで、私たちも、それまでに早く切り上げて宿舎へ帰るようにと、憲兵から通知がありました。出来るだけ早く切り上げてとのことに、やっていても落ちつかず困りました。

あわてて道を歩いていても、別に変わったことはありませんが、その静けさのうちに漂う無気味さは何とも言えないものでした。

七月二十六日

昨夜はこの部落にも、敵襲のあったことを聞きました。七十名ほどだったとか言っていましたが、広水河のこちらまで来たのだそうでしたが、お話をきいてぞっと致しました。

「すぐ追いましたが、あなたたちがいるから、ちょっと心配でした」と、森田中尉殿が言ってみえました。どの部落の敵も、私たちがこちらへ来ていることをよく知っていると聞いて、何だか恐ろしくなりました。

私が眠ったのは一時半でしたが、二時頃に襲って来たのだそうです。こんなに平静に見えているのに、そんな危険がすぐ身近にあるのは、やはり戦場なのだと思いました。

便衣隊狩をした晩に敵襲を受けるなんて、ちょっと皮肉な感じがしました。

十二時半頃、山中少佐殿をお迎えに駅まで参りました。少佐殿は〔名古屋〕部隊の高級副官でした。私たちが〔名古屋〕出発の時には駅まで送って来て下さって、私たちがこの慰問行の出来るのをいろいろお世話して下さいました方です。

〔名古屋〕駅のその頃と少しもお変わりのない姿で、列車から降りて来られました時は、内地の香りを一杯に背負っていらっしゃるようで、お懐かしさで何とも言いようがありませんでした。今度はここの大隊長になっていらっしゃったのだと聞きました。

「いつも皆さんをお送りするばかりでしたが、今度はやっと来ることが出来ました」

と、にこにこして話されました。

本部まで御一緒に行き、部隊長殿と御一緒に写真をとりました。ここの店に大人の背ほどの芭蕉が植えてあります。小指ぐらいの実がなって居りましたが、部隊長殿はこの実が食べられる頃にもう一度、慰問に来て下さい、とおっしゃいました。

私たちも今日こそ、汽車に乗せて頂くことが出来ますので、出発準備のため、お暇《いとま》しなければなりませんでした。

いよいよ十三時半、宿舎を出発しました。今日はトラックではなく、荷物だけを輜重車に積んで頂いて、徒歩で駅までゆきました。

どの宿舎の窓からも、真っ黒な兵隊さんが、「さよなら」「気をつけて帰って下さい」「有難う」といってくれますと、もう泣けて来そうです。

駅に着きますと、日本語学校の生徒さんたちも、私たちを送りに来て下さいました。

小さい子供さんが、日の丸の旗を無心に振りながら、私たちを送ってくれるのです。

何と可愛い子供たちでしょう。本当に嬉しくなり、尊いものを見たようにさえ思いました。この紙の旗も、買うことなどは出来ませんので、揚さんがリーダーになって、白い紙の非常に少ないこの部落からかき集めて、男の子が謄写版で日の丸を刷り、女の子が竹に貼って、昨夜中かかって作って来られたと聞きました時は、感激して、一人ひとりに頬ずりしてあげたいほどでした。それは先生の発案でなく、生徒さんたちが思いついて、私たちのたった一度の訪れを懐かしんで下さった真心でした。こんないい支那の子供のためにも、戦争の苦痛なんて二度と味わわせたくない、幸福にしてあげたいと思いました。

和田さんより、

「今朝も、八時から集合して、九つになる女生徒の揚さんが指図して、大変でした」と聞き、私たちは心からこの小さい中国のお友達に御礼をいいました。

「昨日は遠い所をすみませんでしたが、日本の女性を、ここの子供たちは見たことがありませんので、どうかして、立派な日本女性を見せ、認識を与えようと思いましたのです」

「前線の女のあのだらしなさを見せて、いくらあれは日本の本当の女性でないといっても子供には解りませんし、このたまらない気持ちを一掃するためにあなたたちに来ていただいたのですが、〕ある種の女と区別させるために、〔まず韓国の歴史を話し、〕中国の歴史を話し、どんなふうに違っているかということを、前にもよく話してやりましたので、子供たちもよく納得したようで、日本のお姉さん、日本のお姉さんと、もう狂人に近い喜びようでした。その反動がこの今日の行動ですから、ほめてやって下さい」と言われました。

汽車を待つ間、高橋宣撫班長等のリーダーで、愛国行進曲、愛馬進軍歌を、まだ発音の不馴れな口で歌ってくれました。いつかの応山の子供と、ここの子供とは終生忘れられない美しい思い出の中の一つになることと思います。

私たちの側までそっと来て、ブラウスに触れてみたり、顔をのぞき込んだりしますと、皆かわいくて、一人ひとり抱いてやりました。

出来ることならばこのまま、この子供たちも一緒に内地へ連れて帰ってしまいたくなりました。高野部隊長殿、谷崎部隊長殿をはじめ、将校の方たちもわざわざ送りに来て下さいました。易さんも大きな体にヘルメット帽を、そして紺色の支那服に白い羽毛の団扇を手にして、笑顔で立っていました。

列車が駅へ着きました。車の隅に「三等」とは書かれてありますものの、内地の貨物列車よりまだひどい車でした。それにもう、前線から乗って来た兵隊さんで一杯で、足の踏み場もな

見送りの子供のなかにはあどけない辮髪姿も

いほどでした。時間はありませんし、仕様がないので、最後の車へお願いして割り込ませて頂きました。そうでもしない限り、また明日まで待たなければなりません。

列車は動き出しました。子供さんたちは一斉に元気よく日の丸の旗を振ってくれました。

私たちも「さよなら、さよなら」と叫びながら一生懸命手を振りました。随分遠ざかってもまだ両方とも振ることをやめませんでした。

そのうちに急に列車が曲がりましたので、ふっと日の丸も子供の姿も見えなくなってしまいました。手中の玉を取られたようでした。プラットホームの端まで走ってきて、泣きながら旗を振っていたあの小さな女の子の姿が、はっきりと記憶に残り、眼の前に浮かびます。

前線から乗り続けている兵隊さんは、何事があったのかというような顔で、私たちを見守っていました。目茶目茶に列車の中へ放り込んだトランクやリュックサックの始末を済ませると、私は若い背の低い兵隊さんと向かい合わせに座ることになりました。足をのばせば誰かの兵隊さんの足の上にのってしまうので、同じ窮屈な姿勢を何時間も続けなければなりませんでした。何気なく窓から走り過ぎる田園風景を見て居りますと、急に向こうの方が白く霞んで来たと思いましたら、そのまま素晴らしい速さで乳色のものがすうっと近づいてポツリポツリと私の顔に冷たいものが触れました。

雨だ、と思った瞬間、パチパチと天井を叩く大粒の雨は、ガラス戸も何もない窓から、機銃弾のように車内へ一斉に降り込んできました。兵隊さんの背嚢やら、私たちのリュックサックの始末に車内は騒然としましたが、この美しい、銀の針を打ちつけるような夕立に、濡れるのも忘れて見とれました。その驟雨《しゅうう》の中を列車は漢口へ向かって、ひた走りに走り続けています。この辺はこの頃とても危険なので、汽車は出来る限りの速力を出しています。

雨が晴れ、虹が出ました。広水河に置き忘れられたような、鵲《かささぎ》が白い胸毛を風に吹かせつつじっと休んでいたり、小高い堤の上で子供が水牛の背に乗って、ぼんやり列車の行くのをみています。農夫が平和な顔付きで畠を耕していたりするのを見ますと、こんなにも大戦争をしながら、まだ悠々としたものを持っている中国が、不思議にさえ思えました。

漢口近くに来ると日が暮れて、ちらちらと思い出したように微かな灯を見ました。

ローソクとランプばかりに馴れた眼には、何だか不思議なものを見るような気がして仕方がありませんでした。

鉄道線路を中心にして、片側は煌々《こうこう》とした文化の灯りの下に住み、片側は崩れ落ちんばかりの土の家に、串に臘を塗りつけたようなローソクで、人の顔も満足に見分けのつかないような薄暗い灯を囲んで、一家中夕飯を食べているのが見えます。

二十一時半、盾礼門駅着。汽車は二時間ほど延着したのでした。

ホームへ下りた時、お腹は今朝食べたきりの飲まず食わずなので、感じがないほどにすききっていました。それでもやっと、皆無事で帰りつきました。兵站から迎えに来て下さった、見覚えのある兵隊さんに、

「御苦労様でした。大変だったでしょう。皆さんやせましたよ」と優しく言ってもらうと、一層疲れが出て、返事も出来ず皆下を向いてしまいました。

いけない、いけない。今優しく労《ねぎ》らわれたら、もう私たちは一歩も歩くことが出来なくなっ

てしまいそうです。

海陸ホテルへ送って頂き、前に泊まった部屋を頂きました。

夕食の時間は過ぎているので、何もないと言うのを、無理を言ってお寿司を作って頂き、夢中で食べました。

もう、ここまで帰れば、というほっとした気持ちは、荷物の始末も何もしないで、お風呂へ入りグッタリしてしまいました。

それでもお母さんへはさっそく航空便を出しました。大した病気も事故もなく、故国へ便りを書ける喜びは、とてもとても、誰にも、兵隊さんの他には解って頂けないと思います。

相変わらず漢口は落雀の暑さです。蒸し暑くて、一日中体が汗でぬらぬらして閉口します。その上伝染病が猖獗《しょうけつ》しているとのことに、口を滌《すす》ぐのも、顔を洗うのも、お湯でしなければなりません。再び都会の神経にふれなければならなくなりました。眠くてもなかなか眠れず困りました。私の頭には何のつながりもない断片的な事柄が湧いて来ます。前線の汗にまみれた兵隊さんのある顔、涙声になってしまった大合唱、ふと路端で見た赤い草花が浮かんだりします。誰かそっと来て、私の知らない間に、この気持ちをそっと捨て去ってくれない限り、今夜は眠れそうにもありません。

帰　還

七月二十七日

池田部隊本部など慰問。

〔揚子江と漢水河と二運河、三つの河のデルタにあたるこの漢口は、温度はもちろんですがとても湿度が高くて、汗が出ても乾くということがありません。そんな風土のせいかもしれませんが、漢口だけは二度と来ようとは思わないところです。雨期ともなれば三つの河からあふれだす濁水で水害が多いとか聞きました。毎年のことなのにどうして治水ということを中国の人は考えないのかと思いましたが、揚子江を思えばとても人間技では何とも仕方がないだろうという感がないでもありません。

租界と同じくらいに揚子江は老中国の魔物だと思います。

ホテルの屋上から見る漢口の街は、灰色の直線の街といった感じです。ほぼ同じ大きさの真四角な洋館が直線に縦横に区切られた道にそって並んでいるのを見ると、これでも中国なのかと思われるくらいでした。前線を回っていた幾十日かに、何の混じり気もない四千年来の本当の中国人の住む柔らかい土の壁と茅のようなものでふかれた曲線を持つ素朴な屋根と、どこから持ってきたのかと思われるほど大きさの揃った美しい石畳を見なれてきたからかもしれません。私たちの祖国の、なだらかな黒味を帯びた瓦屋根と線の美しい庭を持つ風景に育ってきたせいか、白っぽいごつごつしたこの街はどうもなじめないものばかりでした。〕

七月二十八日

漢口戦跡見学。〔のち野戦病院にて慰問。〕

〔そこからほど近い「古徳寺」というお寺を見せていただきました。日傘を持たない私たちは、とうもろこしの生えているでこでこの一丁くらいの道でしたが歩いたのにはまいりました。

内地の東本願寺程度のお寺だそうです。路地のようなところを抜けて行きましたら、絵はがきやら写真で見るウェストミンスター寺院そっくりの建物がありました。今までまるい屋根とそり屋根ばかりを見なれてきた私は、針のようにとがったいくつかの屋根の組み合わされた建物をしばらく何も言わないでじっと見つめました。手前の山門のようなところに、持国、広目、増長、多聞と書かれた大きな韋駄天菩薩がありました。それをくぐりぬけた道の正面に大きな唐金《からかね》(青銅)の香炉がおかれて、すぐ横に真っ青な葉をつけた梧桐《あおぎり》が一本植えてありました。その後ろが中国のウェストミンスター、古徳寺の本殿です。大雄宝殿と額に書かれていました。

支那の仏殿には、どこでも心から合掌することができない気がしてなりません。内地の仏像に見る優しさなどはなく、眼もカッと見開いて、薄い唇はニーッと不気味な笑いさえ湛えております。それがほとんど原色で彩色されていますのでとても怪奇的です。一人ではお参りにこられない気がいたします。心を沈めるための礼拝でなく、とても功利的威嚇的な存在であるがゆえかもしれません。

覚如会というところで中国人の尼さんを見かけましたが、日本人とよく似た瞳のパッチリした若い美しい人でした。部屋の中に黒い僧衣をまとって数人静かに座禅しておりました。円座もおいてあって説法場のように私には思われました。どんな人が中国では尼さんになるのかと聞いてみたかったのですが、言葉も解りませんし、せっかく静かに座っている人に声をかけるのも悪いと思って黙って行きすぎました。別棟になっているところで、男の坊さんが沢山いました。服装など内地の坊さんとほとんど変わりないと思われます。何とかして一緒に写真を撮ろうと苦心いたしましたが、なかなか入ってくれません。やっと団長のあやしい支那語で納得させて一枚撮りました。中国の坊さんと日本の小姐ですから、おおよそ愉快な組み合わせです。お経を聞かせてくれましたが、何だか歌を唄っているように華やかな感じがいたしました。」

七月二十九日

武昌にある武漢大学跡の栗田部隊へ行きました。

はじめてここの野戦病院で、愛知県の白衣の天使の方々にお会い致しました。松下婦長殿以下皆さんが上陸以来内地の女性と語るのは初めてだと言って、手を痛いほど固く握りしめて喜んで下さいました。この方たちの涙ぐましいまでの御活躍には私たちはただ頭が下がるのみでした。

〔こちらの防疫のものすごさは戦闘以上のものです。

兵站の玄関にも二、三人の兵隊さんが頑張っていて、入る人に一度一度消毒液を吹きかけております。私たちも、つい今出たばかりでも一旦外へ出たらその次に入る時は頭から足の先まで薬をまかれる厳重さです。

自転車の空気入れのような手押しの噴霧器《ふんむき》でやられます。目をつむってクルッと一回転して大急ぎで飛び退きますが、靴の裏まで薬で拭わされます。道を歩いていても街の四辻には防疫班が白い上衣を着て頑張っていてやられます。昨日も歩いて帰った時に二回つかまって、今消毒していただきましたといってても許されずまた消毒させられ、洋服にすっかり薬の香りがついてしまいました。

中国人などにはもっと厳しく、コレラの注射と種痘の証明書を持っていないと、いきなりつ

武漢大学内の野戦病院にて白衣の天使と

かまえてその場で注射をしております。昨日兵隊さんに聞いた話では、中国では注射をすると女の人は子供が産めないと固く信じられておりますので、非常に嫌がるのだそうです。そこで証明書を得るために他人のものをお金で買うそうですが、これを商売にしていた男があまり幾度も打つうちに体のコンディションが悪かったのか本当のコレラになって死んでしまったとかいうことです。無知のせいだと一笑に付してしまえない問題だと思いました。〕

午後は谷沢部隊などを慰問。

七月三十日

十六時、〔商船〕鳴門丸に乗船。帰途につきました。〔乗船はしたものの、今夜は出帆しないのでみながっかりです。

碼頭《マトウ》では大勢の苦力が、裸やら汚らしいズボンをはいて裸足のままで塩の袋のようなのを、本船から細い板を渡ってトラックに運んでいます。日本で見る沖仲仕（はしけと本船との間で荷物のあげおろしをする人夫）といったら威勢のいいものに決っているのに、この苦力たちは、重い袋を背中にのせて別に急ごうともせず一列になって、

「パーウェ……、エエホラウー……」

などとひと調子はずれたような声をかけながら、トラックのそばで小さい残切れを一枚もらっています。あの残片一枚がどれだけの銅貨になるのかは知りませんが、今日の糧を得るために働く、というような感じは更になく、ただ足の動くままに黙って体を運んでいます。

こうした風景を国際港といっていると思われる漢口の碼頭に見る時、滅びゆく老大国の片鱗を見せつけられたような気がします。

十九時ごろ上流から死体が一つ、私たちの船の右舷すれすれのところを流れて行きました。敵の将校だろうということです。家にいる時はねずみの死んだのさえ気味が悪くて、とても人間の死体など見たら食事も食べられないのに、みな甲板へ出て、

「ああ長靴をはいているわ」

「こっちを向いててよ」

「私たちは今夜動かないけれどどの辺であの死体に追いつけるかしら」

などと平気で見ていられました。

戦場ゆえにこんなにまで人間の性質が変わってしまうのかと思いますと、何だか恐ろしくさえ思いました。〕

七月三十一日

六時出帆。九江に碇泊。

八月一日

十時三十分頃小孤島を右に見出し間もなく〔塔の美しい〕安慶へ着きました。少しの時間でしたが、ここにいる兵隊さんたちのために船の上から歌の慰問をし、大通りの下流で碇泊しました。

今夜は、長江上一面に銀の延板を敷きつめたような、とても月の美しい晩です。

八月二日

蕪湖へ碇泊して、十九時南京着。〔兵站〕へ伺い、ホテルへ落ちつきました。

〔各自の部屋を決めていただいて四日間の汗とほこりと船の中でしみついた油臭さを洗い落と

した時は、一人きりの浴室で、全く私は生きているんだとしみじみ自分の手足を透き通る浴槽の中で思い切りのばしてみました。そうしてこんなにやせっぽちの体でよく今まで過ごしてきたと思いますと、いいようのない誇らしさと嬉しさで思わず涙が、後から後からあふれだしてきました。」

八月三日

「こんな元気で、一か月以上も前線を回って来てくれた慰問団は初めてだ。よく注意して、えらかったね」と〔兵站〕の方々にほめられました。今日は一日宿舎にて休養ときまりました。〔用事もなくてぼんやり窓からのぞいておりましたら、ちょうど私の部屋のすぐ横は支那人の小さい家で、裏の方からのぞくとたいして広くないようです。炊事場らしいところには、鉄で作った浅い支那鍋やざるのようなものが、水瓶と一緒に暗いところに雑然と置かれております。今朝がた黒い支那服を着た十二、三の色の白い娘さんが野菜を持ってぼんやり立っているのを見かけました。広水あたりで見た農民の素朴さとは、また違った素直な愛らしさを感じました。たいして富める家とも思われませんが平和そうに見えました。

ちょうどいま、その娘さんが出てきて裏庭に咲いているほうせんかの真っ赤な花をとってはそれをつぶしてその汁で爪を染めているらしく、はっきりとは見えませんが、少したってから陽にかざした指の先は血のように真紅に染まっています。こちらの若い人は、ほとんどといっていいほど爪を赤くしていますが、その大方の人はエナメルで赤くしています。それよりもほうせんかの花で染めているこの東洋趣味の娘さんにたまらない愛着を感じました。

私に支那語ができたら、もっともっと中国の娘さんたちにいくつかのやさしい日常のことを聞いてみたり、また日本の美しさも話してあげたりしたいと願いましたが、それもできなくて残念に思います。〕

〔ホテルの前のアスファルトの広い美しい道には支那人や邦人の商店が並んでおりますが、一歩横へ入るともう純然たる支那街です。狭い石畳の路を挟んで両側に紅殻《べにがら》（ベンガラ）色に塗った小さい家が立て込んで、軒先に鶏やら家鴨《アヒル》を丸のまま飴色に炒めたものがいくつも下げられたり、きつね色に焼いた直径一尺ぐらいの餡の入らないどら焼きに油でいためてねじったようなものが、蠅の群れるにまかせて置かれたりしています。その前を子供たちがごちゃごちゃ通ったり、女の人が用もなさそうに子供を抱いていたり、手籠をさげたりして一軒一軒店先からのぞき込んでいます。

私は何かここ特有のおもちゃなどがないかと探して歩きましたが、戦後間もないせいか全く生活と切り離せない物以外、見つけだすことはできませんでした。玩具ではありませんが祭りとか病気の治癒を祈る時に使われると思われる紙細工やら、泥でこさえて原色を塗った人形などをひとつふたつ見ましたが、すぐ壊れそうで持って帰れないと思われやめました。」

風をうけて走るジャンク

八月四日

八時中華門駅発の列車にて、十二時三十分蕪湖へ到着。

八月五日

十時出発。トラックにて太平県の石井部隊へ参りました。この頃頻々と敵が出没するこの路を私たちのトラックはフルスピードで進みました。

私たちが出発する前から、「小さくても宿舎の用意も必ずしてお待ちするからぜひ来て頂きたい」とあんなに御親切なお手紙を再三下さった部隊長殿は、今朝討伐にお出かけになったとかでお目にかかれないのが残念でした。その代わりに副官殿が「部隊長殿から、あなた方に差し上げてくれと言ってゆかれました」と言って、素晴らしく大きく甘い西瓜を沢山御馳走して下さいました。後から伺いましたが、この日の午後、部隊長殿は戦死されました。

八月六日

南京にて広辻部隊慰問。

八月七日

道広さんが病気のために、出発を中止し一日休養しました。午後は街へ買物に出ました。今一度来られるのはいつのことでしょう。

八月八日

八時出発、十二時蘇州着。十九時より広野部隊慰問。

ここの演芸場は「西園」とか呼ばれた有名な庭園です。林泉の美はとても口にいいつくされないほどです。いまは酒保になっているらしく、紙がベタベタと貼られ、兵隊さんの泥靴の跡等も見られました。戦争であるからやむを得ないことです。労《いたわ》しい感情で一杯になりました。

八月九日

寒山寺、虎邱山などを見学。東洋のヴェニス蘇州は私たちに本当の支那街の感を与えてくれます。

十四時蘇州発、杭州へ。詩の都杭州。四囲を低い山に囲まれた西湖は部屋の窓から一望のうちに眺めることが出来ます。蘇堤、白堤の美しさは、今でも目に浮かびます。

八月十日

午前は渡辺部隊、午後は北国部隊慰問。

八月十一日

ここ杭州は、市民が三百万元を出して支那兵に退却してもらったとかで、ちっとも破壊されていない美しい街でした。

十三時三十分杭州発、十五時嘉興着。富士井部隊慰問。

除旧更新万家復蘇逢春日

居今思昔年　容易又秋風

明後日の八・一三記念日をひかえて、こんなスローガンが所々に貼られてありました。

八月十二日

土橋部隊、渡辺部隊慰問。

十時五十分嘉興発。懐かしの上海へ。

八月十三日

記念日。死の街のように静まりかえった城内を抜けて、南市の松木部隊へ参りました。帰途、南京へ進撃したどの兵隊さんも必ず一度は通ったといわれる斜土路を、私たちも通りました。その頃のおびただしい車輛の列と、その間を怒濤のように南京めざしてひたおしに進んで行った逞《たくま》しい兵隊さんの姿を想像して、この坦々と続く道にしばらくはみんな立ちつくして感慨無量でした。

八月十四日

呉淞にある遠藤部隊、午後は黒田部隊を慰問。

八月十五日

上海周辺の戦跡見学。江湾鎮、八字橋、商務印書館、四行倉庫……。

砲撃の傷あとおびただしい上海商務印書館

夜は日本倶楽部における大陸新報社主催の座談会に出席。

八月十六日

軍司令部の御好意により、まだ日本人はあまり歩かない旧イギリス、フランス租界の見学に参りました。街路の電柱の三角なものと、四角なものとで、境界が区別されているのも珍しく思われます。

八月十七日

いよいよ帰国の途につくことになりました。沢山の兵隊さんを残して私たちだけ帰るのが、何だか済まないような、たまらない気がしてなりません。この大陸には私たち女性でなければ出来ない仕事が数え切れないほど残されています。きっともう一度来ようと、心の中で誓いました。

八月十八日
もうじっと寝てなどいられず、激しい昂奮をおさえつけるようにして、まだ誰もいない静かな早朝の甲板へ出ました。
朝靄をついて次々と島の姿が視野の中へ飛び込んで来ました。昨日まで大陸の単調な風物に見慣れて来た私は、思わず「出発する前も、こんなに山の緑も、海の色も美しかったのかしら……」と真面目に、傍らにいたお友達に言ったほど内地のすべての風物には穢《けが》れも濁りも見られないように感じました。
一同はとても元気で長崎へ上陸しました。

八月十九日
二か月ぶりに見る四囲《しい》の風物。本当に日本は美しい国……。

八月二十日
私たちを乗せた列車は、大垣、岐阜、一宮を過ぎ、青田の続く濃尾平野をひた走りに走り続けました。黒い屋根瓦の波がどこまでも広がり、真夏の大空の下に、金鯱城がくっきりと美しい姿を見せた時、みんなは思わず「万歳」と叫びました。もう席などについていられなくて、リュックサックを背にして通路に立ちながら、じっと車窓からこれらの風物に見入りました。とうとう帰って来た。重い使命を果して……。

列車がホームへ入った瞬間、行く時のそれにも増す黒山のような人の波にまず目を見はりました。そして、それが私たちを迎えて下さるために来て頂いた方たちと知った時、更に感激してしまいました。私は列車から降りて、スーツケースを弟に渡したことまでは覚えていますが、どんなにして、いま手にしているこの美しい花束を頂いたのか、改札口を出たのかさえ解らないくらいでした。

先に帰っていらっしゃった北支班のお友達が、真新しいお揃いのスーツを着て並んで待っていて下さいました。そして、私たちの泥と汗のために型も崩れ、生地の色さえ見えないような服、真っ黒な顔をした姿に半ばあきれもし、そしてまた慰撫のこもった温かい眼をむけつつ、人波をかきわけるようにして私たちの傍らへ来て、自分たちの服のよごれるのもかまわず、私たちの肩を抱いて「御苦労さま。どんなにかえらかったでしょう」と言って下さった時は、今までの一切の労苦も忘れて恥かしさも何もなく泣いてしまいました。

そうした中へ、兵隊さんの御両親やらお兄さま方が「戦地からの航空便で、あなた方に会って嬉しかったといって来ました。遠いところを御苦労さまでした」と戦線の香りのまだ抜け切らない私たちからそれらの懐かしい肉親の方々の俤《おもかげ》を偲ばれるのか、目には涙さえ浮かべてみ

使命を果たし名古屋駅で慰労の声に迎えられる

えるのでした。これらの方たちの重囲をやっと通して頂いて、私たちのために用意されてある名古屋市公会堂の歓迎報告会の席上へ急ぎました。定刻より二時間も、三時間も前から私たちを待っていて下さったと伺いましたとき、まだ故国の土を踏んだばかりの私たちは、ただ激しい感情のみで、何の用意もなく、どんなにしたらいいのかと思いました。

あの素晴らしい数の兵隊さん方が、一人ひとり話して下さった胸のしびれるような尊いいくつかのお話、私たちも言うことができず、泣きながら歩いて来た現実の戦線の切ないまでに激しい真実をどうしたら皆様方に解って頂けるのかと、こうした経験を全然持たない私たちは、そのもどかしさにいらいらするのでした。

長谷部先生以下団員六名が、団長を中心にして舞台に並びました。幕があくと、二階も、三階も立錐《りっすい》の余地もないほど大勢聞きに来て下さっていました。一人ずつ立っては見て来たままをお話し致しました。専門家ではありませんから、難しい言葉もゼスチュアもありませんでしたが、ただ、戦場で捧げ続けて来たと同じ真心で話しました。

あるお友達は呉淞の郷土部隊の戦跡を話しているうちに、その時のあのたまらなかったことを思い出したのか、皆さん方の前も忘れてハンカチーフで顔を覆ってしまうのでした。

私は、宣撫班、鉄道警備隊の方々の、紙上にもニュースにも出てこない地味なお仕事のあることと、難民区で見た可哀相な中国の子供のことをお話しました。そうして日本の兵隊さんも、私たちも、世界中で一番いいお母さんを持ったことの幸福さを、いまここに来ていらっしゃるお母様方に戦場にいらっしゃる大勢の兵隊さん方にかわってお礼を申し上げました。

ほっとした気持ちで廊下へ出ましたら、御遺族の方々の包囲攻撃をうけてびっくりしました。ある兵隊さんのお父様に、お預かりして来たお手紙をお渡ししましたら、「息子が本当に書きましたのでしょうね」とおっしゃりながら、幾度も幾度も繰り返して読んでいらっしゃいましたが「家には年老いた盲目の妻がいるだけで、一人息子のあれが出征して以来、私一人で頑張って来ました。戦地ではこんなことぐらいでなく、生命を献げて御奉公している兵隊さんの様子がいまのあなた方のお話でよく解りました。私もまた明日からは新しい元気で働きます。本当に御苦労さま、有難うさんでした」と私の手を取って泣いて下さるのでした。私の方こそ御礼を申し上げるべきですのに……。

こうした、お互いが感謝と感激にあふれた報告会を済ませて、家へ帰ったのは午後十時を過ぎていました。玄関を上がる瞬間に青畳の香りが鼻をつきました。私が帰るために、母がすっかり新しい畳と入れ替えておいて下さったのだそうです。

家には、駅頭やら会場でお目にかかれなかった兵隊さんのお家の方たちが、大勢待っていて下さいました。汚い服を脱ぐ暇もなくそれらの方々の一人ひとりにお会いしました。応山とは、浙河とは、水や食物は、などと訪ねられますので、幾度も幾度もそれらのことを語りました。

母が心づくしのお夜食を言いに来て下さっても、それさえ応じ切れない有様でした。

十二時過ぎてやっと皆さんがお帰りになり、「長い間有難うございました」と母に改めて落ちついて挨拶をしてからは、母の温かさにふれもう後の言葉が続きませんでした。

明日からは、あんなに兵隊さんたちが憧れていた日本の生活にもひたり切ることが出来るのだと思いますと、いまもなおあらゆる困苦と欠乏に堪えつつ悠々と戦っていて下さる大勢の兵隊さんたちへ、心から御慰問のお手紙もお書きしたいし、御慰問の品も出来得るかぎりお送りしたいと思います。どうか御元気で御活躍下さいますよう、お祈り致します。

未来を担う人たちを応援して

満州からの留学生

戦争で周りがみな忠君愛国という雰囲気のなか、いつも兵隊さんを送りにいったり迎えにいったり。でも女だから戦うために戦地へ赴くことはできません。「女性として何か役に立つことはないか」と思っていたところへ、女子青年団が慰問団を派遣するという話を聞きました。娘のころから言いだしたらどうしようもなかったんでしょうねぇ。親や周囲の人々の心配をよそに中国を見るよい機会だとも思って志願しました。

当時、中国からの留学生は、名古屋帝国大学（現在の名古屋大学）医学部に一名、名古屋工業高等専門学校（現在の名古屋工業大学）に二名、ほか一名の合計四名が愛知県内に来ていました。そのころ保証人制度というものがあったのかどうかわかりませんが、留学生たちが始終家に来ていたので支那と呼んでいた中国に対する興味はもちろんありましたよ。

慰問団参加が決まって、留学生たちに簡単な会話とか日常の習慣などを教えてもらって行きました。ただ満州の言葉だったのか今の北京官話とは違うような気がします。いえ、留学生は北京官話を使っていたのかもしれませんが、私たちに違いはわかりませんでした。少なくとも文化的にはみな満州人だという意識を持っていて、漢人のことは労働者だとして一段下に見ているようでした。

盧溝橋事件が昭和十二年（一九三七）、上海の呉淞鎮に上陸したのが十三年。徐々に戦争が激しくなって、あの留学生たちがいつ中国へ帰っていったのか、今ごろどうしているのか、その後の消息はまったく知りようもありません。

日本のお母さん、名古屋のお母さん

古くからのお付き合いで、今も名古屋にいらっしゃるのは李明先生ですね、今は水野明先生とお呼びしていますが。先生は、革命前夜に香港を経由して台湾に逃れられ、しばらく高校で歴史の先生をされてから日本にみえました。東北大学大学院を出てから名古屋大学で研究生をしてみえたころ大学婦人協会の席でお会いしたのが始まりで、以後よく家を訪ねて下さるようになりました。昭和四十年代はじめのことです。主人が先生のご出身地である瀋陽について古いこともよく知っておりましたので話が合ったのだと思います。その後、こんな立派な方に日本で不遇な思いをさせるなんていうことは日本にとって恥ずかしいことだと、何とか研究者としての道を歩んでいただきたいとお世話しました。おかげさまで水野先生も縁あって大学で教えることになり、今では教授になっています。日中女性友好協会でも、毎月一回十数年間にわたって隣の中国を知ろうという勉強会の講師をしていただきました。

また韓国から来てみえた白泳基先生は、その後、全北大学校農科大学の学部長まで務められました。

今から三十年以上前、留学生支援の団体や施設が今のように整備されるずっと以前のことで、病気や事故で治療が必要になっても保険もありません。留学生が実験中の事故で失明寸前になったときは、東市民病院に頼み込んで親身になって治療していただき、事無きを得たこともありました。

ネパールから来ていた子たちも忘れられません。

多治見にある鉄工所の経営者がときどきネパールへ行っていたことが縁で、数人日本へ来ていたのですが、待遇が悪いと聞いて相談に乗っていたところ、就労ビザであることがわかりました。主人が骨を折った末、学生ビザに切り替えて、四人が名古屋工業大学に行きました。当時ネパールでは、ソ連への留学経験がないと高級官僚にはなれないということでした。

ネパールからすると一番近い海でも数千キロの彼方ですから、海はとても怖いところだと思っていたようで、海水浴に行ったと故郷に知らせたら「そんな危険なことは二度としてはいけない」と母親から手紙が来たそうです。また別の子は、オートバイで薬局へ突っ込んだり女の子を乗せていて事故をしたり、難儀しました。今は母国でダム建設に携わり、妻二人と子供四人に恵まれているそうです。手が掛かりましたがおもしろい子でした。

みな良い子たちばかりで始終家へ遊びに来ていました。留学生同士がひとりの女性を巡って悩んでいるときは双方が相談に来ました。どちらの肩を持つわけでもありませんが、その女性には自分でじっくり考えるようにとアドバイスしたものです。

同じころ、故郷を遠くはなれてこの名古屋へ就職した鹿児島や長野出身の若い人たちをお世話する「母の家」もしており、いつも誰かしら訪ねてきておりました。

台湾の楊君も所用で名古屋へ来ると深夜にもかかわらず電話をくれます。出張ですからしかるべきホテルが手配してあるにもかかわらず、「先生のところへ泊まってよいか」と連絡してきて、「やっぱりここが心地良い」と言って昔に返ってくつろいで行きます。

「前もって連絡するように」と言ってあっても誰もが大抵突然の電話で、最終の新幹線で名古屋に着いて「今日泊まってよいか」ということになります。それほど気軽に立ち寄れる、勝手知ったる場所なのでしょう。「日本のお母さん」「名古屋のお母さん」なのだそうです。もうお婆さんですが……。

「坂田さんは、僕たちを利用しようとか、何らかの利害関係、損得勘定があって世話してくれたのではなく、ただ可愛がってくれたことが解っている」と言っていました。今度はそれぞれが自国で、苦労している学生、留学生がいたら、同じように面倒を見てやってくれたらそれでいいと思っています。

留学生たちはみな、どこの国でもひとかどの地位について、中国だけではなくて台湾でもネパールからもアメリカからもブラジルからも、皆「いつでも遊びに来て下さい」と言って下さるけれどもなかなか忙しくて行けないんですよ。

中国から迎えた学生たち

昭和四十七年（一九七二）に中国と国交が回復したのち、昭和五十四年（一九七九）にはじめて八人の学生を愛知県に迎えました。そのうちのひとりが周迪偉さんです。

周さんは中国科学技術大学を卒業したあと研修生として来日し、のち名古屋大学工学部でコンピュータを専門に学びました。帰国してからその経験を生かして北京科学院の中にコンピュータ技術を教える会社を設立しましたが、天安門以降はアメリカに渡り、今では永住権をとって大学で教えています。大きな家に移ったのでいつでもいいから遊びに来て下さいと言ってくれるのですがなかなか時間がとれません。でもこの前やっと行ってくることができました。

その弟の周俊偉さんはちょうど紅衛兵の世代で、モンゴルへ下放されて高校の卒業証書がないため大学受験ができず、手に職をつける道を選びました。

三重県四日市市にある豆腐の機械を作る工場へ研修に来て、豆腐も作れるようになって、機械の修理も学んで、その工場の人が中国に工場用地を手配して進出しようとした、その矢先に天安門事件でした。今は北京語言学院で日本食堂を開いています。そこではおしぼりと箸置きがでてくるので、初めて行ったときには笑ってしまいました。私のところでの経験から、これは誠に良いと思って真似たそうです。自家製の豆腐を使うので冷奴の評判が良いんですよ。

周さん兄弟の一番下の妹、暁華さんは、名古屋大学に留学するため来日してもう十数年になりますが、今でも何かあるとすぐ電話をかけてきます。「先生どうしよう」って。娘の静華ちゃんはそのやりとりを見て「おばあさんは何でも知っている」と思っているようです。

お父さまが映画俳優、お母さまが小学校の音楽の先生、おじいさまがお医者さま。文化大革命のときは皆それぞれに下放されて、暁華さんとおばあさまだけが北京に残ったそうです。お兄さん三人で一番下の妹でしょ、大切に育てられて日本へ来るまで包丁を持ったことがなかったんですよ。

ご主人の王焱さんは、昭和五十五年（一九八〇）に来日した最初の学部留学生でした。

そうそう暁華さんと楊州出身の王焱さんとは、仲が良さそうだったから私がそれぞれに話を聞いて親元に手紙を書いたんですよ。どちらの親御さんとも「お互い相手のことはよく知らないけれども、坂田さんが良いというなら問題がないでしょう」ということになってうまく縁結びができました。

王焱さんは名古屋大学大学院で博士号をとって、今はコンピュータ関係の会社で毎日残業しているようですし、暁華さんも中国語を活かしての通訳に翻訳に忙しくしています。二人とも名古屋に住んでいるので、娘をつれて何かにつけ訪ねてくれます。

最後まで心配をかけたのが王紅ですね。アメリカの有名な研究所にお姉さんがいるのでそれを頼ってアメリカへ行くのが良いのか、中国へ帰るのがいいのか、日本に残って研究者の道を模索するのか。結局、名古屋大学経済学部大学院で博士号を取得して、今は東京の証券会社に就職も決まり自分の道を切り開いていったようです。

留学生を引き受けることは、親御さんからお預かりするわけですから学業のことだけではなく、どこへ行っても恥ずかしくないようにと礼儀についても教えますし、その後の進路にも心をかけます。どこで聞いてきたのかまったく知らない人から「保証人をやってほしい」と電話のかかることがありますが、申しわけありませんがお断りしています。

昭和六十三年（一九八八）に日中女性友好協会を設立してからは、「春節を祝う会」「交流研修会」「留学生支援バザー」などなど、留学生たちと集まる機会が前にも増しましたが、最近は一度に何十人と来日するのでなかなか名前も覚えられません。日中女性友好協会ではこのほか毎年、博士号を取得した中国からの女性留学生に対し顕彰を行っています。

以前はいったん中国へ帰国すると再度海外へ出るチャンスを得ることは難しく、「また来ます」と言ってビザ更新のために帰国したまま、就職も決まっていたのにどういうわけだか再度出国できなかった人もいます。今でもお預かりした荷物を一箱、名前を書いて残してあります。

お世話をした留学生だけではなく中国各地にお会いしたい方々がみえるのですが、文化大革命以降は改革開放が始まってからでも、当時の経験からいつ何が曲解されて自分に不利な証言になるかもしれないと、中国の人は皆神経を尖らせていましたし、私もその点はよくよく気を付けていました。でも現地で縁あって通訳について下さった人も打ち解けてくると私の宿泊するホテルの部屋に来て、日本では知り得ない政治会談のことなど話してくれました。反対に、日本で報道されている中国に関することを教えてあげたりもしました。お互い自国のことは国民に隠されているものですから。

中国奥地の子供たちを学校へ

日本にいると、年中お稽古やら何やらでちっともゆっくりしている間がありません。仕事をタッと片づけて中国へ行くと、疲れるどころか、いつも一行は気心の知れた人たちばかりなので無理して先を急いだりせずに、美味しいもの食べて会いたい人にあっておしゃべりして、かえって健康になって戻って来るんですよ。

ここ数年は、子供たちが元気に学校で学ぶ姿を見にいく楽しみが増えました。

平成八年（一九九六）に名古屋大学や名古屋工業大学の留学生を通じて、中国の教育支援プロジェクト「希望工程」のことを知り、日中女性友好協会で協力することになったことがきっかけです。お金をただ寄付して終わるのではなく毎年子供たちの成長を見守っていける方が楽しみなので、ひとつのところを決めてくださいとお願いしたところ、最初に大使館が決めてくださったのが寧夏回族自治区同心県の王大湾《ワンタイワン》村でした。

寧夏が中国のどのあたりにあるかくらいは知っていましたが、そこまで実際に行くにはどのようにすればいいのかまったくわからないほどの奥地です。

平成八年（一九九六）六月に訪問したときは、北京から飛行機で自治区中心の銀川へ行き、そこからは車を出してもらいました。寧夏には南北に列車が走っていますが、途中の魅力ある風景に自由に立ち寄るには車の方が便利ですから。

まず銀川に降り立つと、きれいに着飾った子供たちに加えて偉そうな人や役所の人が大勢立ち並んでいます。「今日はどんな偉いお客さまがみえるんですか」とお聞きしたところ、「あなたたちを待っていました」という返事に恐縮しました。

この銀川から有名な西夏王陵までは車で二時間ぐらいです。

同心県（中国の県は日本の県より行政単位のレベルが低くおよそ日本の郡にあたります）の県城（県人民政府が置かれている街）に宿泊したその夜、雨の少ない土地にもかかわらずひどく雨が降りました。現地の人には「恵みの雨を連れてきた」と歓迎されましたが、道路の状態が危ぶまれます。「道が崩れていると王大湾まで行き着けないかもしれなので、私たちが責任を持って届けあなたがたのご好意を伝えます」と役所の人はおっしゃいましたが、せっかくここまで来たのだから、「どうしても行けなければ引き返すけれども、行けるところまでは歩いてでも行かせていただきたい」とお願いして出発しました。目的地まであと二キロというところで道が崩れていて、標高千五百メートルの高原を車から降りて先へ進みました。

黄土高原に立つ新しい校舎

銀川から同心県まで二一七キロ、そこから王大湾村まで車で半日余りでしたでしょうか。人口二百人に満たない村で、とにかく平地というものがなくひどい風が吹くところでした。水を汲むには深い谷を降りていかなくてはなりません。地図からはわかりにくいかもしれませんが、風景はすべて砂漠、黄土一色です。畑の麦も背が低く、他にあまり作物は見かけません。日本とは種類が異なるのでしょうか、ピンク色の花をつけた蕎麦は目にしました。たんぱく質を何で摂取しているのかと疑問に思うほどです。中央政府から穀物類の配給があるとのことでした。

寧夏にはイスラム教を信仰する回族が多く、王大湾も回族の村です。羊を一頭焼いて歓迎の式典を開いてくださいましたけれども、私たちは一口ずついただいて、前日に街で買い込んだお菓子も村の皆さんで楽しんでいただきたいと思って置いてきました。

こんな厳しい自然条件の中でも子供たちは皆とにかく元気で、頬を赤く染めて眼をキラキラさせて、木にタッタッと登ったり降りたり、〇一五七には取り付かれそうにもありません。

学校といっても大きな校舎を建てるような平地がないので、斜面を切り開いたわずかな土地にレンガ造りの教室を一棟ずつ建てます。その時すでに完成していた名古屋工業大学の寄付した教室に加えて、今頃は日中女性友好協会と私個人、合計三棟の教室で子供たちが学んでいることと思います。また持参した学資で二十二名の児童が学校へ通えるようになったと聞いています。

サッカーボールや卓球用具も持って行ったのですが、はじめは何だかわからずぽかんとしていた子供たちも、実際にやってみせるとたちまち取りあいでした。絵本についても、大人も含めて色のついた本を見たのは初めてだそうで、一人の子供は一度抱えたら放しません。これは独りじめせず皆で順番に見るように言い聞かせました。

今度は、日本から一年生か二年生の教科書を古いものでもいいからを持っていってあげると良いように思います。また風力発電機を寄付してあげるとよいとも思います。説明書通りに組み立てれば簡単に設置できるアメリカ製のものがあると聞いていますから。教室ひとつにでも電気がつくと遅くまで勉強できるようになるでしょう。

今回の訪問で辞書も寄付してきました。日中女性友好協会からと私と息子とそれぞれ一セットずつ。三万六千円で五十冊くらいあります。寄付者の名前が背のところに金の箔押しで入れられると聞いて、そんな体裁の悪いことしてもらわなくてもいいと言ったんですけれども。

あと五年ぐらいするとこの子供たちの中から、北京とはいわないまでも西安の大学へ進学する子供が出てくるかもしれないと楽しみです。

王大湾は小さな村ですから設備としてはもう十分なので、今度はさらに南にある貧困地区を支援してほしいと申し出がありました。そこで日中女性友好協会の十周年を記念してまとまった金額を同心県の教育基金に寄付することにしましたが、まあ、お金を寄付するのにこんなに苦労したことは初めてです。直接現地の銀行に送金することはできないので、いったん北京の本部に送金するなど何度も手続きが必要でした。これで百六十人ぐらいが学べる校舎ができると聞いています。

菜の花に囲まれた「坂田喜代小学校」

今度は名古屋留学生会の会長をしていた名古屋大学の劉さんが縁で、四川省塩亭《エンテイ》県麻秧《マーヤン》村の子供たちの学資を援助し、また校舎の新築資金も贈ることになり、平成九年（一九九七）九月に初めて現地を訪れました。

上海から成都を経由してまず綿陽《メンヨウ》市で人民政府に立ち寄りました。中国の川魚というと臭いが気になって普通食べることができないのですが、初めて食べることができたほどここは水のきれいなところです。コンピュータの部品を作っているので成都よりも経済的に豊かだということでした。そこから高速道路で一時間ぐらいで塩亭県に着きます。

中国の高速道路は料金所ばかりあって途切れ途切れです。土嚢が積んでないので横から不意に歩行者が飛び出して来て、運転手はさぞたいへんなことでしょう。

麻秧村では、大きな太鼓に小さな太鼓、赤、青、黄色、とりどりの旗をなびかせた子供たちに出迎えられ、また村人も総出かと思うほどの大歓迎を受けました。この麻秧村の小学校で学ぶ百二十人のうち、約五十人が日中女性友好協会からの奨学金で学校に通えるようになりました。

平成十年（一九九八）三月、寄付した新しい校舎の竣工式にも招かれ再度訪問しました。木造平屋の校舎は回廊式になっていて、菜の花畑の黄色に囲まれてまっさらな白い土壁はまぶしいほどです。奈良の正倉院を思わせる組み方で、軒下に赤い装飾がひとすじあるのも美しく、とても親しみを感じました。校名も「坂田喜代小学校」と書いてありました。

村の代表者からは「八十歳にもなる日本の老婦人が学校を寄付して下さったのに、地元の人々が何も取り組みをしないでは恥ずかしい。一年や二年では無理だけれども十年後には未就学児童をゼロにします」との言葉をいただきました。

校舎はなんとか寄付させていただいたけれども、器ではなくその中身を作るのはこれからの先生たちの努力にかかっています。器はお金さえあればできますが中身はそうはいきません。日本では戦後の教育を間違ったばかりに今さまざまな問題が噴出しています。学問ができることも大切だけれども、人間性の優れた良い子供に、良いことと悪いことの区別のつく子供に育っていってほしいと思います。

これから五年、十年、せいぜい長生きをして子供たちの成長ぶりを見届けていくのが楽しみです。

（本編は、平成九年から平成十三年にかけて著者が主に、留学生の思い出、中国奥地への小学校寄贈について語ったものを中心にして構成した。）

邦楽お師匠さん、校舎「多謝」

家元、中国に小学校寄贈

四川省麻秧村

「お師匠さん、美しい校舎をありがとう」―。名古屋市千種区の邦楽伊和家流四世家元で、日中女性友好協会長の坂田喜代（へ）（芸名・伊和家小米）さんが、中国・四川省塩亭県の麻秧（マーヤン）村に寄贈した小学校の校舎が完成、このほど現地で感謝の式典が開かれた。校名も「坂田喜代小学校」。坂田さんは「小さな力だが、子どもたちの幸せの起爆剤になれば」と、新しい校舎に学ぶ子どもたちの健やかな成長を願っている。

坂田喜代さん

戦時に慰問　惨状悲しみ

坂田さんと中国との交流は、一九三九（昭和十四）年にさかのぼる。当時、女子青年団員だった坂田さんは日中戦争のさなか、名古屋新聞（中日新聞の前身）が募集した名古屋市に本拠を置く陸軍第三師団への慰問団に加わった。上海から漢江をへて馬坪（ばひょう）に至る約二カ月間の旅だった。

途中、行き倒れの餓死者や野戦病院の惨状を見て心を痛め、戦後、「日本を訪れる中国の人たちに『日本はいい国だ』と感じて帰ってほしい」と、中国人留学生の面倒を見たり、相談相手を務めるようになった。

五一年には愛知県留学生後援会常任理事に就任、国交回復前の六七年には、上海婦女連合会の招きで戦後の中国を初訪問した。その後、毎年一、二回必ず中国を訪問。八九年の設立と同時に日中女性友好協会の会長を務めている。

未就学児ゼロに

校舎寄贈のきっかけは一昨年、名古屋大や名古屋工業大に学ぶ中国人留学生が呼び掛ける母国の教育支援プログラム「希望工程」に協会から二十万円の基金を出したこと。このお金でモンゴルに近い寧夏省・王大湾（ワンタイワン）村の小学校の教室が改築された。

完成した「坂田喜代小学校」＝中国・麻秧村で

昨年九月には、協会から同額の奨学金を携えて塩亭県を訪問。その時、麻秧小学校の古い校舎の屋根や壁が崩れかかったのを見学し、地元の教育関係者らからの要望もあって、約二百万円の新築資金を個人で寄贈した。

敷地は約四千平方㍍。菜の花畑の真ん中に完成した新校舎は、木造平屋建て三百七十平方㍍の回廊式で、白い土壁が美しい。教室が四つと、教員の宿舎があり、かぎ付きの新しい机も備わった。ここで学ぶ百二十人の児童のうち四十九人が協会による奨学金を受け「失学少年」と呼ばれる未就学児が農繁期にも学校へ出られるようになった。

先月末の完成式には坂田さんも出席。何周平校長や児童の代表らが「坂田先生の厚意にこたえるためにも、十年で未就学児をゼロにします」と感謝の言葉を述べた後、卒業生が民族舞踊を披露した。

校庭に記念植樹をし、新校舎での授業を参観した坂田さんは「肝心なのは建物でなく中身。長生きをして十年後に子どもたちの成長ぶりを見届けます」と話している。

『中日新聞』平成10年４月14日夕刊より

坂田喜代（伊和家小米）年譜

大正　六　年（一九一七）　一月一七日　名古屋市中区葉場町に生まれる。

大正一一年（一九二二）　一月　長唄を初代杵屋喜多六師に、踊を西川石松師（後に司津師）に入門。

大正一五年（一九二六）　三味線の手ほどきを杵屋喜津八重師に受ける。

昭和　二　年（一九二七）ごろから堀田義之師に茶、華道、謡曲、仕舞の教えを第二次大戦前まで受ける。

昭和　六　年（一九三一）ごろから清元梅次師、常盤津林弥師に入門。

昭和一四年（一九三九）　六月－八月　名古屋市女子青年団代表慰問団として中国中部を訪問。

昭和一七年（一九四二）　八月　慰問行の手記を『女の見た戦場』として出版。

昭和一七年（一九四二）　伊和家鶴米襲名。

昭和二二年（一九四七）　坂田稔と結婚。

昭和二六年（一九五一）　三月　長男、隆を出産。

昭和二六年（一九五一）　愛知県留学生後援会常任理事となる。

昭和二八年（一九五三）　第一回鶴鳴会開催。

昭和三六年（一九六一）　中国婦人代表団（団長・許広平（魯迅夫人））来日。名古屋へも迎え交流を深める。

昭和四〇年（一九六五）　三月　ＣＢＣホールにて二代目伊和家小米《いわやこよね》襲名披露発表会開催。

昭和四二年（一九六七）　名古屋市社会教育課と婦人団体の協力のもとに「母の家」を開所。県外からの就職者の里親となる。

昭和四八年（一九七三）　鶴翠会と鶴鳴会を合併し、鳴和会と改める。

昭和五〇年（一九七五）　一月　中国婦人代表団来日。名古屋にも立ち寄り交流を深める。

昭和五〇年（一九七五）　四月－五月　中国婦人代表団の招きにより、北京、瀋陽、天津、上海を訪問。

昭和五〇年（一九七五）　七月　朝日文化センター講師となる。以後、東海各地の文化センター・教室で邦楽を教え、普及活動にたずさわる。

昭和五一年（一九七六）　名古屋在住の邦楽の各師匠に呼びかけ「名睦会」を結成。第一回発表会を愛知県婦人文化会館にて開催。以後、回を重ねる。

昭和五二年（一九七七）　邦楽各界に呼びかけ、次の世代へ日本音楽を伝える運動として「はとの会」を結成。第一回の活動として名古屋市教育館講堂にて伝統音楽の講習を開催。以後、小学生などを対象とした活動を重ねる。

昭和五四年（一九七九）　七月　愛知県婦人文化講座で「横笛」の講師となり、以後毎年一回講習をおこなう。

昭和五五年（一九八〇）　六月　中国江蘇省の招きにより中国を訪問。南京、蘇州にて演奏する。

昭和五六年（一九八一）　名古屋市教育委員会より長年の婦人団体活動に対する感謝状を受ける。

昭和五六年（一九八一）　第一回伊和家小米リサイタルを開催。

昭和五八年（一九八三）　第二回伊和家小米リサイタルを開催。

昭和五九年（一九八四）　九月　愛知県日中友好協会婦人部の一員として訪中。北京、西安、洛陽を訪問。

昭和六〇年（一九八五）　第三回伊和家小米リサイタルを開催。

昭和六二年（一九八七）　二月　第二十八回ＣＢＣクラブ文化賞受賞。

昭和六二年（一九八七）　八月　愛知県文化使節団としてソビエトを訪問。モスクワ、ハリコフ、レニングラードにて演奏する。

昭和六二年（一九八七）　第四回伊和家小米リサイタルを開催。

昭和六三年（一九八八）　一月　故坂田稔の作品集『造型写真一九三四―一九四二』（あるむ刊）を編集刊行。

昭和六三年（一九八八）　八月　日中女性友好協会設立。会長を務める。

昭和六三年（一九八八）　一一月　中国北京放送、北京音楽院の招きにより中国を訪問。北京にて演奏する。

平成　元　年（一九八九）　九月　婦人地域活動者（青少年の健全育成、地域文化伝承保存）として知事表彰を受ける。

平成　二　年（一九九〇）　三月　鳴和会が平成元年度愛知県芸術文化選奨（団体の部）を受賞。

平成　二　年（一九九〇）　第五回伊和家小米リサイタルを開催。

平成　六　年（一九九四）　名古屋市指定文化財「二福神車」囃子指導を始める。

平成　六　年（一九九四）　六月―七月　文化交流使節団としてウクライナを訪問。ハリコフにて演奏する。

平成　六　年（一九九四）　一〇月　文化交流使節団としてアメリカを訪問。カルフォルニア州サラトガにて演奏する。

平成　六　年（一九九四）　第六回伊和家小米リサイタルを開催。

平成　七　年（一九九五）　七月—八月　キルギスタン日本文化週間への招きによりキルギスタンを訪問。ビシュケクにて演奏する。

平成　八　年（一九九六）　六月　中国寧夏回族自治区同心県王大湾村訪問、学資、図書、小学校を寄贈。

平成　九　年（一九九七）　九月　中国四川省塩亭県麻秧村訪問、学資、小学校を寄贈。

平成　九　年（一九九七）　第七回伊和家小米リサイタルを開催。

平成一〇年（一九九八）　三月　中国四川省塩亭県麻秧村坂田喜代小学校竣工式出席。

平成一一年（一九九九）　第八回伊和家小米リサイタルを開催。

平成一二年（二〇〇〇）　七月　中国寧夏回族自治区同心県張家溝村坂田喜代希望小学校竣工式出席。王団鎮と王大湾村の希望小学校訪問。

平成一三年（二〇〇一）　九月　中国寧夏回族自治区同心県張家溝村を再訪し学資を寄付。

平成一四年（二〇〇二）　八月一一日　他界。八十五歳。

再刊編集にあたって

本書は、岩佐喜代子（坂田喜代）著『女の見た戦場』（昭和十七年（一九四二）宏英社）の再刊である。

昭和十四年（一九三九）、名古屋新聞（今の中日新聞）主催により名古屋女子青年団の一員として郷土部隊の駐屯する最前線、中国湖北省奥地まで慰問に訪れた著者は炎暑と泥濘に悩まされながらも、目に映り心に留まったことがらを日々書き綴った。

著者は慰問先で多くの兵士より託された家族への伝言のひとつとして、当時、宣撫班員として湖北省広水にいた和田祐介氏より留守宅への手紙を預かり、その縁がきっかけでのちに夫となる坂田稔氏と出会うことになる。前衛写真家としての活動のほか写真雑誌に多くの評論を発表していた稔氏から、執筆原稿の浄書を頼まれるなどして手伝いに通うようになった著者は、彼の勧めもあって慰問日記の上梓を思い立つ。はじめは写真雑誌を出版していた「アルス」からの刊行が考えられたが、同時期、担当の師岡宏次氏がアルスから独立し兄弟で「宏英社」を設立したことから、お祝いの意味も込め宏英社にその出版は託された。

この前後のいきさつについては、著者が稔氏の没後に編集刊行したその作品集『造型写真一九三四―一九四二』（あるむ刊）に詳しい。

初版当時、軍による検閲はもちろんのこと、出版に用する紙の配給も統制が厳しくなっていたが、師岡氏らの奔走により『女の見た戦場』として世に出され、従軍記者の伝える戦況報告ではない戦場の様子が伝えられた。

この慰問行で感じた「女だからできること、女にしかできないこと、気の毒な人たちのためにとにかく何かできることをしたい」という思いがその後の活動の原点となり、戦後まもなく平和を考える勉強会を女性ばかりで始めたことを皮切りに、著者は理論ではなくまず行動ありきの女性運動を重ねていく。邦楽家元二代目伊和家小米として「お師匠さん」と慕われ、「留学生の母」となるなかで、辛口の叱咤激励を受けたくて「名古屋のお母さん」に会いに来る人も多く、それらの戦争の時代を知らない人たちに『女の見た戦場』を読んでもらいたいという気持ちが再刊の原動力となった。平成八年(一九九六)頃から始まった再刊にむけての作業は幾度かの校正を経てそのほとんどを終えていたが、今年二月に卵巣がん手術のため入院、手術後いったんは大病とは思えないほどの意欲で退院したものの、再入院ののち八月十一日帰らぬ人となった。

再刊の編集に際しては、旧漢字・旧かなづかいは、新漢字・新かなづかいに改めるとともに、刊行当時の事情により原稿段階で削除されたり伏字となっていた箇所については〔 〕囲みで収録しなおした。また、若い世代にも広く読んでほしいとの願いから、現在一般的ではなくなっている用語には主に広辞苑第四版を参照しつつ( )内に注を付し適宜ルビを補った。ルビは当時の読みを優先し、原則として日本語音によるものはひらがな、中国語音によるものはカタカナにした。なお、今日から見れば不適切と思われる表現もあるが、時代背景と資料的価値とを考え原文のままにした。

校正の間、著者は「まあ娘らしいことが若さにまかせて書いてあるなぁと思いながら読み返しています」と言いながらも、内容を違えるような手を入れることはなく、朱のほとんどが今となっては理解されにくい言葉に対する補足であった。

編集作業にとりかかった当初は、軍靴を響かせ中国の奥へ奥へと侵略を進めていた時代の慰問の記であるため、振り返って、当時は活字にできなかった「今だから語れること」と初版の内容を対比させれば時代の異常さが見えてくるのではないかとの私見を持っていたが、それは思い違いであった。もちろん戦場を回って見聞したすべてを数百頁に収めることができるわけもなく、活字にならないエピソードは多く残されていた。しかし、初版当時の原稿はそれで完成されており、その後から発言を加える必要はなく、何より戦後の著者の生き方との間において気持ちのあり方に断絶はないと感じるようになった。

お国のために戦場にいる兵士に故郷の香りを伝えること、また前線の様子を自らの目で見たまま感じたままに、夫や息子の無事を案ずる留守宅に伝えることを使命としつつも、その視線は「今この目で見ている大陸の風物」に対する好奇心を隠しきれず、そこに住む人々の「日々のいとなみ」を思うこころに満ちている。

再刊にむけての作業は著者が八十歳を過ぎるころから始められた。「著者晩年の」と言い得るかもしれないが、坂田喜代さんには「晩年」という言葉はそぐわない。さいごまで、現役の「お師匠さん」であり、留学生たちの良き理解者であり、意欲のある人に請われればどこへでも自ら気軽に出向いて行かれた。「今できること」はいつも最大限に行動してこられて、悔いのない一生であっただろうと思われる。

末尾に付した留学生たちの母としての活動、および中国貧困地域の子供たちへの学資援助、小学校寄付などの活動については、再刊のための校正のやりとりをした数年にわたって著者の語った内容を、著者没後、関係者の証言とも照らしあわせつつ今回の出版にあわせまとめなおした。また年譜も著者より聞いた内容を関係者の方々に確認して完成させた。

表紙には著者の希望でもあった中国の城門をもつ街の風景を配した。これは荻須高徳氏の弟子にあたる和田祐介氏によって、著者の慰問日記原稿ノートの表紙に描かれたものである。本書の伏字箇所の復元は主にこの原稿ノートによっている。文中の写真は当時報道班として慰問団に同行した天野正英氏および著者によるものである。

最後に、空襲をくぐりぬけたアルバムからの写真掲載をご快諾下さった杉浦（旧姓永田）雅楽子さん、写真家の天野正英氏、馬島幸子さんをはじめ日中女性友好協会の皆さん、伊和家米長さんほか鳴和会の方々、中日新聞社、周暁華さん、そしてご子息の坂田隆氏にはたいへんお世話になった。これらの方々のお力添えによってはじめてこの本は再刊されることになった。記して感謝いたします。

二〇〇二年九月

（あるむ編集部　吉田玲子）